EDGAR ALLAN POE

A QUEDA DA CASA DE USHER
E OUTROS CONTOS

Camelot
EDITORA

CONHEÇA NOSSO LIVROS
ACESSANDO AQUI!

Copyright desta tradução © IBC - Instituto Brasileiro De Cultura, 2023

Título original: The Fall of the House of Usher
Reservados todos os direitos desta tradução e produção, pela lei 9.610 de 19.2.1998.

1ª Impressão 2023

Presidente: Paulo Roberto Houch
MTB 0083982/SP

Coordenação Editorial: Priscilla Sipans
Coordenação de Arte: Rubens Martim (capa)
Tradução e Notas: Fábio Kataoka (Os Assassinatos da Rua Morgue, O Mistério de Marie Rogêt); Leonan Mariano (O Homem que Fora Consumido), Lilian Rozati (Nunca Aposte Sua Cabeça com o Diabo: Uma História com Uma Moral), Mirella Moreno (Espíritos dos Mortos, Annabel Lee, A Cidade no Mar)
Revisão e Preparação de Texto: Leonan Mariano, Lilian Rozati e Mirella Moreno
Imagem de Capa: Shuterstock

Vendas: Tel.: (11) 3393-7727 (comercial2@editoraonline.com.br)

Foi feito o depósito legal.
Impresso no Brasil

Dados Internacionais de Catalogação na Publicação (CIP)
de acordo com ISBD

C181c   Camelot Editora

A Queda da Casa de Usher e Outros Contos Extraordinarios - Edgar Allan Poe / Camelot Editora. – Barueri : Camelot Editora, 2023.
128 p. ; 15,1cm x 23cm.

ISBN: 978-65-85168-87-8

1. Literatura americana. 2. Contos. I. Título.

2023-3130   CDD 813
                                       CDU 821.111(73)-3

Elaborado por Vagner Rodolfo da Silva - CRB-8/9410

IBC — Instituto Brasileiro de Cultura LTDA
CNPJ 04.207.648/0001-94
Avenida Juruá, 762 — Alphaville Industrial
CEP. 06455-010 — Barueri/SP
www.editoraonline.com.br

SUMÁRIO

ESPÍRITOS DOS MORTOS 5

ANNABEL LEE 6

A CIDADE NO MAR 8

A QUEDA DA CASA DE USHER 9

NUNCA APOSTE SUA CABEÇA COM O DIABO:
UMA HISTÓRIA COM UMA MORAL 28

O HOMEM QUE FORA CONSUMIDO 37

OS ASSASSINATOS DA RUA MORGUE 47

O MISTÉRIO DE MARIE ROGÊT 81

ESPÍRITOS DOS MORTOS

Tua alma estará solitária,
amargurada sobre a lápide mortuária,
e ninguém atrapalhará, apesar do tumulto,
esse teu momento oculto.

Fica em silêncio, enquanto no ermo,
pois não estás sozinho — e no mesmo termo
em que os espíritos companheiros
quando vivos, novamente
agora na morte são teus parceiros — e em suas mentes
há apenas assombro presente: fica quiescente[1].

A noite, embora límpida, mudará,
e as estrelas serão esferas,
mas lá de cima, de etéreas feras[2],
luz esperançosa aqui não chegará;
Enrubescidas e desbotadas,
olhando-as em exaustão,
verás que queimam, alimentadas,
pela tua infinda combustão.

O agora é apenas memória,
em uma eterna trajetória,
de pensamentos que desarvoram,
e esquecidos, como gotas evaporam.

O sopro divino em ti encerrou,
e a névoa que nos separou

---

1 Quieto e em repouso. (N. do T.)
2 Poe nos mostra um cenário inquietante do que acredita existir após a morte. Ao contrário do descanso eterno, há sofrimento, e as estrelas, antes vistas como uma esperança de algo além da vida, agora são apenas astros em chamas, que queimam as almas dos mortos para todo o sempre. (N. do T.)

é sombria, e sombria se aproxima,
pairando no alto, morro acima,
perpétua prova, e para sempre estigma,
de certeiro mistério, colossal enigma[3]!

ANNABEL LEE

Há muito, muito tempo atrás havia,
num reino à beira-mar, onde vivi,
uma moça que talvez conhecias
pelo nome de Annabel Lee;
E essa moça nada mais queria,
a não ser ter-me para si.

Eu era criança e ela também,
no reino à beira-mar, onde vivi,
e nosso amor transbordava além,
para fora de mim e de Annabel Lee;
Um amor que no céu fez brotar inveja
até no mais puro serafim ali.

E foi por isso que, há muito tempo atrás,
nesse reino à beira-mar, onde vivi,
um vento álgido veio soprar,
e gelou minha bela Annabel Lee;
Seus nobres parentes então em luto
Vieram e levaram-na para longe de mim,
e no sepulcro em silêncio absoluto
ela jaz ao lado do mar sem fim.

Os anjos, no céu nada contentes,
invejaram o que viram aqui

---

[3] A morte, o mistério dos mistérios para o ser humano, é retratada como uma névoa, separando o mundo dos vivos do mundo dos mortos, vista pelo autor como uma prova simbólica de que, em vida, nunca saberemos o que se esconde por trás da mesma; mas que com toda certeza chegará até nós um dia. (N. do T.)

Sim! — e por isso foi que (evidentemente,
nesse reino à beira-mar, onde vivi)
o vento das nuvens soprou, e pungente
tomou o ar de minha Annabel Lee.

Mas nosso amor forte e infinito,
que mesmo jovem é tão ínclito[4],
deixa falar o que não é dito;
E nem mesmo os anjos que nunca vi,
ou os demônios que cessam a calma
poderiam então separar minh'alma,
da alma de Annabel Lee.

Pois nunca a Lua sem sonhos reluz,
pondo-me a dormir com Annabel Lee;
E nunca as estrelas não lembram a luz,
dos olhos fulgentes de Annabel Lee;
Assim, toda noite, eu deito ao seu lado,
Noiva querida, força motriz,
relendo o epitáfio, sigo calado
no reino à beira-mar, onde um dia fui feliz.

Nota sobre *Annabel Lee*
Annabel Lee foi escrito no início de 1849, evidentemente sendo uma forma que o poeta encontrou de expressar seu amor eterno pela falecida noiva, embora pelo menos uma de suas admiradoras tenha considerado o poema uma resposta ao seu afeto. Poe enviou uma cópia para a revista *Union Magazine*, na qual foi publicada em janeiro de 1850, três meses após a morte do autor. Enquanto sofria de "expectativas frustradas" em relação ao seu destino, Poe também presenteou o editor do *Southern Literary Messenger* com uma cópia de Annabel Lee, que a publicou na edição de novembro, um mês após a morte de Poe. Nesse meio tempo, a cópia do próprio poeta, deixada entre seus papéis, caiu nas mãos da pessoa encarregada de editar suas obras, e ele citou o poema em um obituário de Poe no *New York Tribune*, antes que qualquer outra pessoa tivesse a oportunidade de publicá-lo.

---

4   Distinto; excepcional. (N. do T.)

Edgar Allan Poe

A CIDADE NO MAR

Olhai! Eis que a Morte para si um trono forjou,
e numa cidade curiosa, solitário o colocou,
bem longe adentro do Oeste obscuro,
onde os bons e os maus e os mais do que puros,
dormem para sempre num completo escuro.
Lá, santuários, catedrais e torres fazem lar,
(Devorados pelo tempo sem nunca vacilar!)
mas a nada mundano vão se assemelhar.
Ao redor, deixadas pela ventania,
ao pé do firmamento, assim recolhidas,
jazem as águas da melancolia.

Os raios de sol não descem dos Céus,
na longa noite que lá põe seu véu,
mas o clarão do mar tenebroso
pelas torres flui em remanso amistoso;
Cintilam os pináculos, ao fundo seguros,
acima das cúpulas, campanários e salões,
até mesmo dos templos, Babilônicos muros,
umbrosas e há muito esquecidas construções,
de hera e de flores em pedra adornadas;
cintilam acima das moradas sagradas,
onde há molduras entrelaçadas,
violas, violetas e videiras entalhadas.

Ao pé do firmamento, assim recolhidas,
jazem as águas da melancolia.
Torres às sombras tão embaralhadas
que à atmosfera nada se alia,
enquanto de alta e soberba colina,
a Morte, colossal, tudo domina.
Escancarados os áditos e túmulos,
as ondas nos mostram sem turvo acúmulo,
que não são baús para nenhuma riqueza;

Nem santos ornados como realeza,
ou corpos envoltos em dourada beleza,
poderiam então induzir lá torrentes
— nessa absência, tudo paira, infelizmente!
Ao longo desse deserto de vidro,
não há sequer nenhum indício
de que em mar talvez menos anidro[5]
os ventos achem maior prestígio,
pois ali — estranhamente,
flui apenas a paz em fastígio.

Mas, vede, há algo em incitamento!
Uma onda, um movimento!
As torres foram mais pro canto,
e a maré vai se afastou um tanto,
como se algo houvesse rasgado,
abrindo espaço assim folgado;
A água fulge em tom purpúreo,
o tempo esvai-se sem compasso,
e entre tais inumanos murmúrios,
tudo deita em abissal espaço,
onde o Inferno, jamais em perjúrio,
agradece a Morte pelo repasso[6].

A QUEDA DA CASA DE USHER

Durante um longo dia pesado, escuro e silencioso de outono, em que nuvens baixas amontoavam-se dominando o céu, eu passava a cavalo

---

5 Não abundante em água. (N. do T.)
6 Poe retrata o reino da Morte como um local de pacífico descanso — atemporal e estagnado —, onde todos são iguais. Porém, ao final do poema, o reino infernal toma conta de tudo, ascendendo e engolindo a todos, dando a entender que o Diabo, agradecido pelo fato de a Morte ter recolhido todas as almas, agora domina; deixando as águas em tom avermelhado para fazer referência às chamas do Inferno. (N. do T.)

por uma vasta região singularmente triste, e após um tempo me deparei, quando as sombras da noite se aproximavam, com a vista da melancólica Casa de Usher. Não sei o motivo, mas, assim que olhei para a construção, uma sensação insuportável de angústia invadiu o meu espírito. Digo insuportável, pois tal sensação não poderia ser aliviada por nenhum desses sentimentos agradáveis, que, através da poeticidade que exalada de algo, normalmente permite que a mente acolha mesmo as imagens mais autenticamente cruéis do que é terrível e desolado. Contemplei a cena diante de mim — a casa e as características singelas da paisagem ao redor, as paredes que nada abrigam, as janelas como olhos que nada veem, a vegetação amontoada e os troncos embranquecidos de árvores apodrecidas — como uma alma em depressão profunda, comparável a nenhuma outra sensação terrena de maneira significativa além daquela que logo chega após o efeito do ópio passar, quando tudo volta ao amargor da vida diária, e todas as coisas antes adormecidas novamente aparecem. Lá havia frieza, decadência, como uma doença afligindo o coração; irremediavelmente preenchendo os pensamentos com uma melancolia insensível ao estímulo da imaginação, assim impossibilitando qualquer variação. O que seria, afinal — parei para pensar —, tal desalento que nasceu ao contemplar a Casa de Usher? Tratava-se de um mistério sem solução; e tampouco conseguia lutar contra as nebulosas fantasias que se acumulavam em minha mente enquanto eu refletia. Naquele momento, fui forçado a ceder à conclusão insatisfatória de que, sem dúvida, há coisas simples que quando combinadas têm o poder de nos afetar, e ainda assim, entender que este poder requer considerações além da nossa capacidade. Cogitei que um simples ajuste em alguns detalhes da cena, em algumas minúcias da paisagem, poderia ser o suficiente para alterar, ou até mesmo eliminar, essa capacidade de causar impressões pesarosas. Seguindo essa ideia, guiei as rédeas do meu cavalo em direção à margem íngreme de um lago escuro e sinistro, que repousava cintilante e sereno próximo à residência. Olhei para baixo, mas arrepiei-me de forma ainda mais perturbadora do que antes, fitando o reflexo tremulante e invertido dos juncos desbotados, medonhos troncos e janelas opacas.

Apesar de tudo, decidi permanecer por algumas semanas naquela mansão melancólica. Seu dono, Roderick Usher, fora um dos meus alegres companheiros de infância, mas muitos anos haviam se passado desde nosso último encontro. Recentemente, porém, uma carta chegou às minhas mãos, enquanto eu estava num canto mais distante do país. O tom da carta era notavelmente insistente, não admitindo outra resposta a não ser minha presença. A escrita denunciava sua afobação, mencionando uma intensa enfermidade física e um distúrbio mental que o atormentava. Roderick expressava um grande desejo de me ver, já que eu era seu melhor e, de fato, seu único amigo pessoal. Ele esperava que a alegria de minha companhia pudesse trazer algum alívio para seus sofrimentos. A forma como tudo isso e muito mais foi comunicado, aliada à sinceridade que transparecia em seu pedido, não me permitiu hesitar por um momento sequer. Assim, obedeci prontamente ao que considerei um chamado bastante peculiar.

Apesar de termos sido companheiros muito próximos quando crianças, eu sabia muito pouco sobre meu amigo. Sua reserva sempre foi marcante e constante. No entanto, eu tinha conhecimento de que sua família, antiga e ilustre, destacava-se — desde sempre — por conta da singular sensibilidade que constituía o feitio de todos, enobrecendo-os ao longo dos séculos através das diversas obras de arte transcendentes e recentes atos de caridade que, embora discretos, eram grandiosos e numerosos, além da paixão pela complexidade da ciência musical, talvez até mais forte do que a paixão por suas características populares e convencionais. Também aprendi que, notavelmente, o tronco na árvore genealógica da família Usher, por mais consagrado que fosse, não havia produzido, em nenhum período, qualquer ramificação duradoura; em outras palavras, toda a família se mantinha em linha direta de descendência, e sempre assim permaneceu, com variações mínimas e efêmeras. Enquanto eu contemplava a harmonia entre o estilo da propriedade e a suposta natureza de seus habitantes, especulando sobre a possível influência que, com o passar dos séculos, uma poderia ter causado na outra, ocorreu-me que essa ausência de ramificações secundárias e a consequente transmissão ininterrupta, de pai para filho, do patrimônio junto ao nome, acabou, com o tempo, aproximando tanto os dois aspectos a ponto de fundir o título original da propriedade na estranha e ambígua denominação "Casa de Usher" — uma designação que parecia, na mente dos camponeses que a usavam, abranger tanto a família quanto sua ancestral residência.

Tenho dito que o único efeito da minha experiência um tanto ingênua — olhar para o lago — foi o de acentuar a primeira impressão que já possuía. Não há dúvidas de que, ao tomar consciência de que minha superstição aumentava rapidamente — por que não devo chamá-la assim? — apenas acelerei o crescimento da mesma. Mas, já sei há muito tempo que essa é a lei paradoxal de todos os sentimentos originados do terror, e pode ter sido por essa razão, apenas, que, quando ergui novamente os olhos para a casa, depois de ver sua imagem no lago, surgiu na minha mente uma estranha fantasia — algo tão ridículo, na verdade, que menciono somente para exemplificar a força vívida das sensações que me oprimiam. Eu havia ido tão longe em minha imaginação a ponto de realmente acreditar que em toda a área construída e ao seu redor pairava uma atmosfera intrínseca ao local e à sua vizinhança imediata — uma atmosfera que não tinha afinidade com o ar do céu, mas que emanava das árvores em decomposição, do muro cinzento e do lago silencioso; um vapor pestilento e místico, rasteiro, vagaroso, pouco discernível e cor de chumbo.

Afastando da minha mente o que deve ter sido um sonho, examinei mais de perto o aspecto real do edifício. Sua característica principal era que se assemelhava a coisas excessivamente antigas. A ação dos séculos fora intensa. Ínfimos fungos cobriam toda a fachada, formando uma fina teia que pendia dos beirais. Entretanto, não havia sinais de estragos mais acentuados. Nenhuma parte da alvenaria havia desmoronado, e parecia haver uma estranha incompatibilidade entre a perfeita integridade dessas partes e a condição precária das pedras quando analisadas individualmente. Isso me fazia lembrar da aparência enganadora de uma estrutura de madeira antiga que, apodrecida no interior por ter passado anos em um depósito negligenciado, não foi afetada pela influência do ar externo. Além dessa indicação de extrema degradação, o edifício, no entanto, dava poucos sinais de instabilidade. Talvez o olhar minucioso de um observador tivesse descoberto a única fenda visível, que, estendendo-se do teto, na fachada, serpenteava em zigue-zagues até desaparecer nas águas sombrias do lago.

Notando estes pormenores, cavalguei pelo caminho de pedras que levava à casa. Um criado tomou o cavalo a seu cargo e penetrei na arcada gótica do vestíbulo. Um outro serviçal de passo furtivo conduziu-me, então, em silêncio, através de várias complicadas e escuras passagens, até ao gabinete de trabalho do seu amo. Muito do que me deparei pelo caminho contribuiu, não sei como, para adensar os vagos sentimentos a que antes me referi. Os objetos que me cercavam — os detalhes nos tetos, as sombrias tapeçarias nas paredes, a negrura do ébano nos soalhos e os fantasmagóricos troféus que balançavam à minha passagem não passavam de coisas iguais ou semelhantes àquelas a que me habituara desde a infância; embora não hesitasse em reconhecer como tudo isso me era familiar, continuava a estranhar a invulgar natureza das insólitas ideias que tais imagens comuns me suscitavam.

Numa das escadarias cruzei com o médico da família. A sua fisionomia, ao que me pareceu, revelava um misto de falta de astúcia e de perplexidade. Saudou-me tremulamente e prosseguiu o seu caminho. O criado abriu, então, uma porta e conduziu-me à presença de seu amo.

O compartimento em que encontrei-me era muito amplo e alto. As janelas eram estreitas, alongadas e ogivais, e ficavam a tal distância do chão de carvalho negro que eram completamente inacessíveis do interior. Instáveis raios de luz matizados de carmesim penetravam pelas grades e logravam tornar suficientemente visíveis os principais objetos circundantes. Mesmo assim, em vão, o olhar se esforçava para alcançar os cantos mais afastados do aposento ou os recessos do teto abobadado e com ornamentos em relevo.

Tapeçarias escuras pendiam das paredes. A mobília era numerosa, sem muito conforto, antiquada, e encontrava-se em estado precário. Muitos livros e instrumentos musicais estavam espalhados ao redor, mas não conseguiam dar nenhuma vitalidade ao ambiente. Senti que estava respirando uma atmosfera de angústia. Um sopro de profunda, penetrante e irremediável tristeza pairava no ar e tudo invadia.

Quando entrei, Usher se ergueu do sofá em que estava completamente deitado e saudou-me com a calorosa vivacidade — pensei inicialmente — que provém de exagerada cordialidade, do esforço constrangido de um homem entediado. Contudo, um olhar em sua fisionomia convenceu-me da sua completa sinceridade. Sentamo-nos e, por um momento, enquanto ele se mantinha em silêncio, observei-o com uma sensação metade penosa, metade temerosa. Estou certo de que nunca houve homem que sofresse tão terrível modificação, em tão curto espaço de tempo, como Roderick Usher!

Não foi sem dificuldade que consegui reconhecer a identidade do ser lânguido perante a mim como sendo o meu companheiro de infância. No entanto, as características de sua fisionomia sempre foram notáveis. Uma tonalidade cadavérica, olhos grandes, aquosos e de incomparável luminosidade, lábios finos e muito pálidos, mas de curvatura inexcedivelmente bela, um nariz de delicado formato hebreu, mas com as narinas de uma largura excêntrica em comparação a similares, um queixo finamente modelado, que revelada, em sua ausência de relevos, uma falta de atuação moral; seu cabelo era mais macio e tênue que uma teia de aranha. Todos esses traços, aliados a um excessivo desenvolvimento da região superior às têmporas, criavam no seu conjunto uma fisionomia que dificilmente se poderia esquecer.

Agora, no simples exagero das características desses traços e da expressão que habitualmente apresentavam, houvera tantas alterações que eu duvidava de que o homem com quem falava pudesse ser o mesmo. A palidez, hoje espectral, de sua pele, e o atual brilho prodigioso em seu olhar eram sobretudo o que mais me intrigava, chegando a assustar-me. Também o cabelo fora deixado crescer descuidadamente e como, em sua estranha textura fina, mais parecia flutuar do que espalhar-se ao redor do rosto, não consegui, por mais que me esforçasse, associar a sua forma arabesca[7] a qualquer noção de singela humanidade.

Tal incoerência impressionou-me logo no início; havia inconsistência nos modos de meu amigo, e não tardei a perceber que isso acontecia por conta de uma série de débeis e fúteis esforços para dominar um tremor habitual, uma excessiva afobação. Eu estava preparado para algo semelhante, não apenas pela carta, mas também pelas reminiscências dos antigos traços da infância, e por conclusões extraídas da singular condição física e de temperamento. Seus movimentos eram alternadamente vívidos e indolentes. A voz alterava rapidamente, sendo agora indecisa e trêmula (quando a força vital parecia completamente ausente) e então consistentemente enérgica; aquela fala abrupta, convincente, pausada e marcada, aquela pronúncia pesada, equilibrada, forte e completamente variante que se pode observar num bêbedo habitual ou num incorrigível usuário de ópio durante ápice dos efeitos.

---

7   Típica arte islâmica que combina padrões de figuras geométricas, como linhas. (N. do R.)

Foi assim que falou do motivo da minha visita, do seu enorme desejo de me ver e do alívio que esperava ter em minha companhia. Por fim acabou entrando no que entendi ser a natureza da sua enfermidade. Tratava-se, segundo ele, de um mal de família, genético, para o qual desesperadamente tentou encontrar um remédio: uma simples afecção nervosa — acrescentou imediatamente —, que sem dúvida em breve passaria. Manifestava-se através de numerosas sensações anormais. Algumas destas, à medida que ele as detalhava, interessavam-me e causavam-me espanto. Talvez os termos que usava e a maneira que num geral narrava exercessem certa influência. Sofria muito de um aguçamento mórbido dos sentidos; o mais insípido alimento lhe era insuportável; só podia usar roupas de certo tecido; o aroma de quaisquer flores lhe era opressivo; seus olhos eram torturados até mesmo por uma réstia de luz, e havia poucos sons específicos, de instrumentos de corda, que não lhe causavam horror. Vi que ele estava escravizado por uma sensação anormal de medo. "Vou morrer", disse-me ele, "tenho de morrer nesta deplorável loucura. Assim, e somente assim será o meu fim. Tenho medo do que o futuro me reserva, não pelo que acontecerá, mas pelo que resultará disso. Estremeço à ideia de qualquer incidente, mesmo do mais trivial, que possa influir nesta intolerável agitação de espírito. Na verdade, não tenho medo do perigo, exceto por seu efeito absoluto — o pavor. Nesta condição lastimável e precária, sinto que mais cedo ou mais tarde chegará a ocasião em que terei de abandonar, juntas, a vida e a razão, lutando com esse cruel fantasma: o medo."

Observei, ainda, através de alusões ambíguas e fragmentárias, uma outra característica essencial do seu estado mental. Ele estava acorrentado por certas noções supersticiosas em relação ao lugar onde vivia, e de onde, por muitos anos, nunca se afastara — falava de uma influência cuja força hipotética era detalhada numa linguagem demasiadamente nebulosa para ser aqui reafirmada — uma influência que havia conseguido exercer dominância sobre seu espírito, nos detalhes do que constituía sua propriedade familiar, às custas de longo sofrimento... Uma influência que a *alma* das paredes cinzas e das torres, do obscuro lago onde tudo era refletido, finalmente exercia sobre a moral de sua existência.

Confessou, entretanto, apesar de hesitar, que grande parte da angústia que assim o atormentava podia ser atribuída a uma origem mais comum e muito mais palpável — à enfermidade longa e implacável, ou, na verdade, à morte evidentemente próxima de uma irmã ternamente amada, sua única companheira através de longos anos, e seu único e último parente na terra. "A morte dela", disse-me com uma amargura da qual nunca me esquecerei, "faria dele (totalmente desesperado e frágil) o último sobrevivente da velha estirpe dos Usher".

Enquanto falava, Lady Madeline (pois assim era ela chamada) passou rapidamente, sem ter notado a minha presença, e desapareceu. Olhei para ela com grande surpresa, não isento de espanto; e, todavia, achei impossível explicar o que senti. Uma sensação de estupor me oprimia enquanto meu olhar seguia seus passos em retirada. Quando uma porta, finalmente, fechou-se atrás dela, procurou instintiva e avidamente pela figura de seu irmão, mas ele escondera o rosto entre as mãos, e pude perceber que uma palidez ainda mais profunda que a anterior se espalhara por conta de seus dedos magros, dos quais gotejavam lágrimas ardentes.

O mal de Lady Madeline desafiara por muito tempo a habilidade dos médicos. Uma apatia constante, uma lenta e gradual degradação física, e, frequentes, embora rápidas, crises de aspecto parcialmente cataléptico, formavam o diagnóstico até então. Assim, ela vinha lutando bravamente contra as investidas desse mal, e recusava-se a se entregar à cama; mas, ao cair da noite do mesmo dia em que cheguei à casa, submeteu-se (conforme seu irmão me relatou mais tarde numa agitação indizível) à força lamentável dessa dura enfermidade. Percebi que aquele momento em que a vi seria provavelmente o último vislumbre que teria dela, e que aquela dama, pelo menos enquanto vivesse, nunca mais seria vista por mim.

Por vários dias depois desse fato, seu nome não foi mencionado nem por Usher e nem por mim; e durante esse período, esforcei-me muito para mitigar a melancolia de meu amigo. Pintávamos e líamos juntos, ou eu escutava, como num sonho, as extravagantes improvisações do seu violão. E assim, à medida que uma intimidade cada vez mais profunda me levava diretamente até os lugares mais remotos de seu espírito, percebi, com amargura crescente, a inutilidade de todas as minhas tentativas de animar uma mente que impregnava de sombras todas as questões do universo moral e físico, numa constante irradiação de angústia, como se fosse uma qualidade confiante e inerente.

Terei sempre na memória essas horas solenes que vivi em companhia apenas do senhor da Casa de Usher. Contudo, falharei em qualquer tentativa de transmitir uma ideia do caráter exato dos estudos, ou das ocupações em que ele me envolveu. Um idealismo exaltado e altamente inquietante fazia tudo parecer mais brilhante do que de fato era. Suas longas melopeias[8] fúnebres ecoaram para sempre em meus ouvidos. Entre outras coisas, conservei penosamente a lembrança da vez em que, exagerada e perversamente, cantou a extravagante ária[9] da última valsa de Von Weber. Das pinturas nas quais sua imaginação requintada se comprazia, e que cresciam, pincelada a pincelada, chegando a me fazer experimentar profunda emoção, sem saber exatamente a causa — tais pinturas eu me esforçaria em vão a tentar replicar fielmente, valendo-me do âmbito da palavra escrita. A enorme simplicidade e clareza de seus traços atraía e prendia minha atenção. Se algum mortal um dia foi capaz de pintar uma ideia, esse mortal foi Roderick Usher. Para mim, pelo menos, nas circunstâncias que então me cercavam, das dignas abstrações que o hipocondríaco intentava lançar sobre tela, surgia uma sensação de intensa admiração que jamais se repetiu em mim, nem mesmo ao contemplar certas imagens de Fuseli, bastante arrebatadoras, mas certamente objetivas.

Uma das concepções fantasmagóricas de meu amigo, que não exigia uma abstração tão rígida, pode ser aqui delineada, embora de uma maneira precária. Um de seus pequenos quadros representava o interior de uma abóbada ou túnel imensamente longo e retangular, de paredes baixas, lisas, brancas e sem interrupção ou ornamentos. Certos detalhes no desenho serviam para ilustrar a ideia de que tal local estava situado a extrema profundidade, abaixo da superfície da Terra. Nenhuma saída era visível em nenhuma parte de sua extensão, e não havia nenhuma tocha ou outra fonte artificial de luz; contudo, uma avalanche de raios luminosos invadia, e banhava a cena em um esplendor estranho e espectral.

Relatei há pouco sua condição que tornava o sentido da audição morbidamente hipersensível a qualquer música, exceto certos instrumentos de corda. Talvez por conta do estreito espaço que deixava entre si e seu violão, acabou criando, em grande parte, o estilo fantástico das suas composições. Mas a incrível facilidade que demonstrava em seus

---

8 Melodias que acompanham textos de gênero declamatório. (N. do R.)
9 Parte de qualquer composição maior, como óperas, em que há uma voz solista. (N. do R.)

improvisos não podia ser da mesma forma explicada. Provavelmente, tanto a música como a letra dessas extravagantes aventuranças (pois ele frequentemente acompanhava o instrumental com improvisos poéticos) seriam o resultado de intensa concentração e atividade mental, à qual aludi anteriormente, observando que apenas surgiam nos momentos de dissimulada exaltação artificial. Recordo facilmente as palavras de uma rapsódia. Talvez esses versos tenham me impressionado mais profundamente porque, em sua significação mística, julguei notar — e pela primeira vez — que Usher tomou consciência do vacilar de sua nobre razão. O poema intitulado *O Solar dos Espectros* era assim, em sua essência:

I
Dos mais verdes de nossos vales,
de anjos bons constituindo moradia,
um formoso palácio deslumbrante,
monumental paço — se erguia.
No império do monarca Pensamento,
tal templo mostrava a sua face,
e das asas de um anjo nunca soprou o vento
que à morada de longe se comparasse.

II
Bandeiras amarelas, soberbas e douradas,
no seu topo flutuavam derrapantes
(Isto — tudo isto — nas Eras passadas,
nos tempos para sempre bem distantes.)
E a cada doce brisa que então ia tocando,
nos dias em que a calma dominava,
as muralhas ornadas, branqueando,
um odor alado se evolava.

III
Os que passavam nesse vale venturoso,
por duas lúcidas janelas entreviam,
almas que, ao som de um alaúde harmonioso,
musicais, acordantes, se moviam;
Em redor de um trono onde, sentado,

(Porfirogeneta[10] verdadeiro!)
num fausto à sua glória apropriado,
se via desse reino o timoneiro.

IV

E de rubis e pérolas fulgindo,
era do belo paço formado o portal,
através do qual vinha afluindo,
brilhando sem cessar, uma real
legião de Ecos, cuja doce missão
consistia tão somente em cantar
em vozes belas, sem comparação,
do seu rei o engenho e o bem-pensar.

V

Gente do mal, porém, que o luto vestia,
de assalto ao rei tomou o Estado;
(Ah, choremos, que o alvor de novo dia
não mais verá o monarca desgraçado!)
E a glória que circundava essa morada,
e de rubro a vestia, florescente,
não passa ora de lenda já meio olvidada,
das sepultas Eras de antigamente.

VI

E hoje, quem o vale encontra na passagem,
vê pelas janelas rubramente iluminadas,
grandes formas que se agitam, qual miragem,
ao som de entoações desafinadas;
enquanto pela porta, horrivelmente,
qual rio lúgubre e veloz no seu fluir,
uma turba se agita eternamente,
e ri — porém não pode já sorrir.

---

10 Da expressão em inglês "*born in purple*", refere-se àqueles membros da realeza que nasceram durante o reinado de seus genitores. (N. do R.)

Recordo-me, perfeitamente, de que as questões despertadas por esta balada nos levaram a uma corrente de pensamentos, vindo à tona uma fala de Usher, que menciono não tanto por ser algo novo (pois outros homens assim também pensaram), e mais pela obstinação com que ele a defendeu. Esta fala, de modo geral, referia-se à senciência[11] das coisas vegetais e inorgânicas. Mas em seus devaneios desordenados, essa ideia assumia um caráter mais ousado, e, de certa forma, perdia a organização lógica. Faltam-me palavras para exprimir toda a sua extensão, ou sua sincera desistência em persuadir-me. A crença, entretanto, estava ligada (como anteriormente aludi) às pedras cinzentas que serviam de sustentação para o lar de seus avós. As condições para tal senciência tinham sido aqui, segundo ele imaginava, idealizadas tanto pela metódica justaposição das pedras — e pela ordem em que foram dispostas — quanto pelos muitos fungos que se espalhavam sobre elas, e pelas árvores existentes no terreno; mas, acima de tudo, pela longa duração e inalteração dessa disposição, e pelo seu reflexo nas águas paradas do lago. A prova — de que tal senciência existia — era observável, disse ele (e aqui estremeci quando ele falou), na gradual, mas evidente condensação de uma atmosfera própria a essas águas e paredes.

O efeito era perceptível, acrescentou ele, nessa silenciosa, mas importunamente terrível influência que, durante anos, ditou o destino de sua família, e que fez dele o que agora eu estava vendo: o que ele, de fato, era. Nada disso requer comentários e eu não os farei. Os livros que líamos — e que, através do tempo, haviam exercido significativa influência no psicológico do enfermo – estavam, como se pode prever, em estrita harmonia com tais falas fantásticas. Nós nos debruçávamos, juntos, sobre obras como *O Papagaio Devoto* e *A Cartuxa*, de Gresset; *Belfagor, O Arquidiabo*, de Maquiavel; *O Céu e o Inferno*, de Swedenborg; *Viagem Subterrânea de Niels Klim*, de Holberg; *Quiromancia*, de Robert Flud, Jean d'Indaginé, e De la Chambre; *A Viagem no Azul*, de Tieck e *A Cidade do Sol*, de Campanella. Um dos volumes favoritos era a pequena edição do *Directorium Inquisitorium*, pelo dominicano Eymeric de Girone; e havia trechos de Pompônio Mela, sobre os antigos sátiros e egipãs[12] africanos, que tanto faziam Usher sonhar acordado horas a fio. Sua maior felicidade, entretanto, encontra-

---

11 Capacidade de ter sentimentos e sensações de forma consciente. (N. do R.)
12 Divindade da mitologia grega similar ao sátiro. (N. do R.)

va-se na leitura de um curioso e extremamente raro livro *in quarto*[13], em estilo gótico — uma publicação de uma igreja esquecida — *Vigiliae Mortuorum Secundum Chorum Ecclesiae Maguntinae*. Não consegui tirar tão extravagante e cerimonial obra da minha cabeça, tampouco a provável influência que exercia sobre o pobre homem, quando, certa noite, após bruscamente ter me informado sobre o falecimento de Lady Madeline, mostrou sua intenção de manter o cadáver durante uma quinzena (antes do enterro final) num dos inúmeros nichos existentes nas paredes principais do edifício. A razão mundana, contudo, atribuída a este procedimento tão singular, era de tal natureza que não me atrevi a contestar. O irmão da falecida fora levado a essa resolução (assim me disse ele) à vista do caráter extraordinário da enfermidade da defunta, e também devido à curiosidade ávida e importuna por parte dos médicos dela e à distância em que se encontrava o jazigo da família. Não negarei que, ao lembrar da fisionomia sinistra daquela que vi no dia em que cheguei aqui, não quis de forma alguma me opor ao que, aparentemente, tratava-se de uma precaução inofensiva e até certo ponto justificável.

A pedido de Usher, ajudei-o pessoalmente nos preparativos para o sepultamento temporário. Posto o corpo num ataúde, sozinhos, o levamos para o seu local de repouso. O nicho onde o colocamos (e que permanecera por tanto tempo fechado que nossas tochas, quase extintas pela atmosfera opressiva, deram-nos pequena oportunidade de enxergar melhor) era pequeno, úmido e completamente privado de luz; era bem profundo, logo abaixo da parte da casa onde estava situado o meu próprio quarto.

Essa passagem subterrânea fora utilizada em remotas épocas feudais como cárcere e, em tempos mais próximos, como depósito de pólvora ou outras substâncias igualmente inflamáveis, visto que parte do chão e todo o interior da longa arcada, através da qual chegamos à câmara, estavam cuidadosamente forrados por cobre. A porta, de ferro maciço, fora também protegida do mesmo modo. Seu peso causava um rangido insolitamente áspero e irritante ao mover de suas dobradiças.

Tendo depositado nossa carga fúnebre sobre uma espécie de mesa, nesse local horripilante, afastamos parcialmente a tampa ainda não aparafusada

---

13 Referente ao formato de um livro que é assim obtido após ter suas folhas dobradas no meio duas vezes. (N. do R.)

do ataúde, e olhamos para o rosto da falecida. Pela primeira vez, uma notável semelhança física entre o irmão e a irmã chamou minha atenção. Usher, talvez adivinhando meus pensamentos, murmurou algumas palavras pelas quais ficou evidente que a finada e ele eram gêmeos, e que possuíam afinidades de natureza dificilmente compreensível desde o nascimento. Os nossos olhares, todavia, não se voltaram por muito tempo sobre o cadáver, pois não podíamos contemplá-lo de maneira tranquila. A doença, que assim levara ao túmulo aquela mulher em pleno vigor, deixara, como acontece em todas as moléstias de caráter estritamente cataléptico, ironicamente um leve rubor em seu colo e rosto, além de um sorriso tênue que, nos lábios da morte, fica ainda mais terrível. Tornamos a cobri-la e aparafusamos a tampa; depois de fechar a porta de ferro, cansados, fomos até os aposentos um pouco menos lúgubres, localizados na parte mais alta da casa.

E agora, passados alguns dias de grande amargura, uma visível mudança se operou no aspecto do distúrbio mental de meu amigo. Suas maneiras habituais se alteraram. As ocupações mais ordinárias foram esquecidas. Vagava de sala para sala com passos apressados, desiguais, e sem rumo. A lividez de seu rosto tomara um tom ainda mais cadavérico — mas a luminosidade de seus olhos acabou por dissipar-se inteiramente. A rouquidão ocasional de sua voz não mais se ouvia; e um tremor aparentemente causado por um medo intenso agora caracterizava sua fala. Havia ocasiões, na verdade, em que eu julgava que a sua mente, incessantemente agitada, lutava contra algum segredo sufocante, para cuja divulgação ele procurava a coragem necessária.

Às vezes, eu era forçado a fazer uso dos inexplicáveis caprichos da demência, pois o via de olhar perdido e fixo durante longas horas, numa atitude que denotava a mais profunda atenção, como se estivesse escutando algum som imaginário. Não era de admirar que seu estado me inspirasse terror; que quase me contagiasse. Eu sentia, lenta, mas efetivamente, que as bizarras influências provindas de suas superstições — fantasiosas, mas também impressionantes — tomavam conta de mim.

Ao recolher-se um pouco mais tarde, na noite do sétimo ou oitavo dia depois do sepultamento do corpo da Lady Madeline na câmara, experimentei fortemente todo o poder de tais superstições. O sono parecia evitar a minha cama, e as horas passavam e passavam. Eu lutava para dominar o nervosismo que se apoderara de mim. Procurava me fazer crer que grande parte, se não a totalidade das minhas impressões, era devida à influência desconcertante da mobília austera e melancólica do quarto; das tapeçarias sombrias e apodrecidas que, tocadas pelo sopro de uma tempestade iminente, mexiam-se primorosamente nas paredes e quase tocavam nos adornos da cama. Meus esforços, porém, foram infrutíferos. Um invencível tremor gradualmente se apoderou de meu corpo; e, finalmente, instalou-se em meu coração o íncubo do mais absurdo medo. Esforçando-me e ofegante, ergui minha cabeça do travesseiro, procurando ver através da volumosa escuridão reinante no quarto, e pus-me à escuta, levado por uma força instintiva, ouvindo certos sons, baixos e indefiníveis que surgiam, entre as pausas da tempestade, não sei de onde. Dominado por uma intensa sensação de pavor, inexplicável e intolerável, vesti-me depressa (pois compreendi que não dormiria mais naquela noite) e tentei superar o lamentável estado em que me encontrava, caminhando rapidamente, para um lado e para o outro, ao longo do aposento. Fizera poucas voltas, quando algo passou numa escada próxima e chamou minha atenção. Reconheci-as logo como sendo de Usher. Um instante depois, ele bateu levemente na minha porta, e entrou, com uma lamparina na mão. Seu rosto apresentava, como de costume, aquela lividez cadavérica — mas, além disso, havia uma espécie cômica de demência em seus olhos —, e uma histeria evidentemente contida lhe transbordava. Aquilo me apavorou, mas qualquer coisa era preferível à solidão que eu vinha sentindo por tantas horas, e quase agradeci por sua presença como se fosse uma consolação.

— Viu aquilo? — disse abruptamente, depois de ter olhado ao redor, em silêncio. — Então, não viu aquilo? Olhe, venha ver.

Assim falando, cuidadosamente protegendo a lamparina, apressou-se na direção de uma das janelas e escancarou-a para a tempestade. A impetuosa violência da rajada que entrou no quarto quase nos lançou ao chão. Era, realmente, uma grande tempestade, singularmente bizarra tanto em sua repugnância quanto em sua beleza. Um redemoinho evidentemente percorria com total força nossa vizinhança, pois frequentemente havia violentas alterações na direção do vento; e a excessiva densidade das nuvens (que eram tão baixas a ponto de tocar os torreões da construção), não nos impedia de notar a velocidade com que elas fluíam na distância. Digo que nem mesmo nos impedia de notar tais coisas, mas não tínhamos *um* vislumbre sequer da lua ou das estrelas, e nem nos iluminavam os relâmpagos. Mas, abaixo das enormes massas agitadas de vapor, assim como todas as coisas terrestres situadas imediatamente em torno de nós, tudo cintilava numa claridade anormal, como de algo gasoso, levemente luminoso e distintamente visível, flutuasse no ar e envolvesse a casa.

— Você não deve... você não pode ficar olhando assim! — eu disse a Usher, estremecendo, puxando-o suavemente, da janela para uma cadeira. — Essas visões que o espantam são simples fenômenos naturais, nada raro, e talvez originem-se do horripilante miasma fétido do lago. Vamos fechar essa janela; o ar está demasiado frio e perigoso para sua saúde. Aqui tenho um dos seus romances favoritos. Lerei para você: e assim venceremos juntos esta noite terrível.

O velho volume que eu agarrara era o *Mad Trist* de Launcelot Canning; mas eu disse que era o livro favorito de Usher apenas por um gracejo. Havia pouco entusiasmo na prolixidade tosca e quase nada criativa do volume, e nada prestaria à espiritualidade e ao sublime idealismo de meu amigo. Era, todavia, o único livro imediatamente à mão; e eu alimentava uma fraca esperança de que sua afobação momentânea pudesse encontrar alívio (pois muitos distúrbios mentais remetem a anomalias semelhantes), mesmo nas piores tolices que pudesse ler. Se eu pudesse julgar pela atitude concentrada com a qual ele escutava, ou aparentemente escutava as palavras da narração, poderia provavelmente parabenizar a mim mesmo pelo êxito de tal intento.

Eu chegara àquela parte muito conhecida da história, em que Ethelred, o herói do Trist, tendo procurado inutilmente, por meios brandos, penetrar na habitação do eremita, resolve entrar à força. Nesta altura, o texto da narrativa diz:

"E Ethelred, que era um homem valente, e que estava agora ainda mais forte em virtude do revigorante vinho que tomara, não esperou mais para parlamentar com o eremita, que, na verdade, era de caráter obstinado e maligno, mas, sentindo a chuva nos ombros, e receando o recrudescimento da tempestade, ergueu sua maça[14] *e, desferindo golpes atrás de golpes, abriu rapidamente um rombo na porta por onde podia entrar a sua manopla*[15]*; e ora puxando a porta tenazmente, ora batendo com fúria, pôs*

---

14 Armamento medieval que contém uma bola de metal dentada em uma das pontas, acoplada ou não a uma corrente. (N. do R.)
15 Luva de ferro usada como parte de uma armadura, servindo de proteção para as mãos, punhos e antebraços. (N. do R.)

tudo em pedaços, fazendo grande barulho por conta madeira seca, o que alarmou e repercutiu por toda a floresta."

Quando acabei esta frase, parei e, por um momento, fiquei em silêncio, pois (embora logo percebesse que a minha imaginação excitada havia me iludido) parecia-me que, de alguma parte muito remota da casa, vinha indistintamente até os meus ouvidos, o que poderia ter sido, na sua exata semelhança de descrição, o eco (sem dúvida um eco sumido, abafado) dos sons que Launcelot descrevera havia pouco. Evidentemente, apenas a coincidência me chamou a atenção porque, entre os estalos das janelas e outros ruídos que se fundiam com a tempestade sempre crescente, o som em si nada tinha de diferente que pudesse ter me interessado ou perturbado. Continuei a história:

"Mas o bom campeão Ethelred, penetrando agora pela porta, ficou grandemente irritado e confuso por não perceber sinal algum do maligno eremita. No lugar dele, um dragão escamoso e de aspecto prodigioso, com uma língua ígnea, montava guarda diante de um palácio de ouro, com chão de prata; e da parede pendia um brilhante escudo de bronze com esta inscrição:

"'Quem aqui entrar será um vencedor; quem matar o dragão apoderar-se-á do escudo.'

"E Ethelred levantou a maça, acertando-a na cabeça do dragão, que caiu diante dele, exalando um sopro pestilento — o seu último alento — com um guincho tão horrível, áspero e penetrante, que Ethelred tapou os ouvidos com as mãos, para fugir do som sinistro e medonho."

Nesse momento fiz uma pausa, e agora com uma impressão de desconcertante estupefação — pois não havia dúvida nenhuma de que naquele momento eu efetivamente ouvi (embora me fosse impossível distinguir de que direção provinha) um som agudo irritante, prolongado, penetrante como um grito esganiçado, que parecia vir de longe — a reprodução exata daquilo que a minha imaginação concebera com relação ao bramido selvagem do dragão, conforme a descrição do escritor.

Impressionado, como sem dúvida me encontrava, pela ocorrência desta segunda e extraordinária coincidência, por mil sensações contraditórias, em que predominavam o pasmo e o terror extremos, ainda conservei suficiente força de espírito para evitar o agravamento, por contágio, da sensibilidade do meu companheiro. Não duvidava de que ele tivesse reparado nos sons dos quais falei, e que, também, algo estranhamente mudava, durante os últimos minutos, em sua aparência exterior.

Antes sentado à minha frente, ele agora havia gradualmente torcido a cadeira de modo a ficar voltado para a porta do quarto; e assim eu podia apenas ver parcialmente suas feições, percebendo que seus lábios tremiam como se ele estivesse murmurando algo inaudível. Sua cabeça recaía sobre o peito — eu sabia, porém, que não dormia, pois, pelo seu perfil, podia ver que conservava os olhos rigidamente abertos. Os movimentos de seu corpo me firmavam também nessa conclusão, pois ele oscilava suavemente, mas constante e uniformemente. Tendo rapidamente observado tudo isso, voltei à narrativa de Launcelot, que continuava como segue:

"E agora o campeão, tendo escapado à terrível fúria do dragão, voltou a sua atenção para o escudo de bronze e pensou na quebra do encanto que pesava sobre ele. Afastou a carcaça para um lado e aproximou-se decididamente, pisando no pavimento de prata do castelo, do lugar onde pendia o escudo; este, porém, não esperou pela sua ação, e caiu aos seus pés, no chão de prata, com um tinido retumbante e ensurdecedor."

As últimas sílabas nem bem haviam passado através dos meus lábios e — como se um escudo de bronze tivesse realmente, naquele momento, caído pesadamente num pavimento de prata, percebi um ruído distinto, profundo, metálico e estridente, embora aparentemente velado. Completamente desatinado, pus-me de pé num salto; mas os movimentos ritmados de Usher não se alteraram.

Corri em direção à cadeira em que ele estava sentado. Seus olhos estavam fixamente perdidos no espaço, e em todo o seu rosto havia uma rigidez petrificante. Mas, quando coloquei minha mão sobre o seu ombro, seu corpo fortemente estremeceu, e um sorriso doentio apareceu em seus lábios; percebi que ele falava com uma voz ininteligível, baixa como um murmúrio, como se ignorasse a minha presença. Inclinando-me sobre ele, consegui finalmente entender suas medonhas palavras:

— Você não escuta? Sim, escuto já faz um tempo. Muito, muito tempo, muitos minutos, muitas horas, muitos dias; mas não ousaria dizer algo... Oh! Piedade de mim, esse ser miserável! Eu não ousaria... não ousaria falar! Nós a pusemos viva no túmulo! Eu não disse que meus sentidos estavam aguçados? Agora digo a você que ouço os seus débeis movimentos no silencioso ataúde. Eu os tenho escutado, há muitos, muitos dias; entretanto, não ousei... não ousei falar! E agora... esta noite... Ethelred... Ha! Ha! A destruição da porta do eremita, e o grito de morte do dragão, e o estrondo do escudo... A abertura de seu ataúde, o ranger das dobradiças de sua prisão, a vibração das paredes forradas de cobre no subterrâneo! Oh! Para onde fugirei? Não irá ela aparecer aqui dentro de um momento? Não se apressa para me censurar? Não ouço seus passos lá na escada? Não ouço o lento pulsar de seu coração? HOMEM LOUCO!

Ele se pôs rapidamente de pé e gritou estas sílabas, como se fizesse desse seu último esforço:

— Homem louco! Agora ela está de pé atrás da porta!

Como se na energia sobre-humana de sua fala houvesse o poder de um sortilégio, os enormes e antiquados painéis, para os quais ele apontava, abriram vagarosamente, nesse instante, suas bocas de ébano. Fora obra de uma formidável rajada — mas, escancarando a porta, apareceu, de pé, a figura imperiosa e amortalhada de Lady Madeline de Usher. Havia sangue em suas vestes brancas e vestígios de luta em cada parte de seu corpo cadavérico. Por um momento, ela ficou parada, trêmula, a vacilar no umbral. Depois, com um pequeno grito lamentoso, caiu pesadamente para dentro, sobre o corpo de seu irmão, e, em sua violenta e agora final agonia, o que ela arrastou pelo chão foi apenas um cadáver, uma vítima dos horrores que ele mesmo previra.

Daquele quarto e daquela casa, eu fugi espantado. A tempestade continuava desencadeada, com toda sua fúria, quando me vi finalmente atravessando o velho caminho pavimentado. De repente, surgiu ao longo do caminho uma luz estranha, e eu me voltei para ver de onde poderia ter vindo claridade tão insólita, pois atrás de mim só havia a mansão com suas sombras. O resplendor vinha de uma Lua, no ocaso, grande e cor de sangue, que agora brilhava vivamente através daquela fenda antes apenas perceptível, a qual eu disse que se estendia desde o telhado, fazendo zigue-zague, até ao alicerce. Enquanto eu olhava, esta fenda rapidamente se alargou — houve uma rajada mais impetuosa da ventania — o globo inteiro do satélite invadiu de repente o campo de minha visão. Meu cérebro desfaleceu quando vi que as grossas paredes ruíam, despedaçando-se. Houve um longo e tumultuoso estrondo, como o som das cataratas, e o profundo e sombrio lago aos meus pés fechou-se funebremente por sobre os destroços da Casa de Usher.

NUNCA APOSTE SUA CABEÇA COM O DIABO: UMA HISTÓRIA COM UMA MORAL

"*Con tal que las costumbres de un autor*", diz Don Thomas de las Torres, no prefácio de seus *Poemas Amatórios*, "*sean puras y castas, importo muy poco que no sean igualmente severas sus obras*". O que significa, em tradução clara, que, desde que a moral de um autor seja em si pura, de nada importa a moral de seus livros. Presumimos que Don Thomas esteja agora no Purgatório devido a esta afirmação. Seria também uma atitude inteligente, no sentido da justiça poética, mantê-lo ali até que os seus *Poemas Amatórios* deixem de ser impressos ou sejam definitivamente esquecidos nas prateleiras por falta de leitores. Toda ficção deveria ter uma moral; e — o que é mais pertinente — os críticos descobriram que toda ficção a tem.

Filipe Melâncton, há algum tempo, escreveu um comentário sobre a "Batracomiomaquia"[16] e provou que o objetivo do poeta era despertar uma aversão à sedição. Pierre la Seine, indo um passo além, mostra que a intenção era recomendar aos jovens a temperança no comer e no beber. Da mesma forma, Jacobus Hugo se certificou de que, por Euenis, Homero pretendia insinuar João Calvino; por Antínoo, Martinho Lutero; pelos Lotófagos, protestantes em geral; e, pelas Harpias, os holandeses.

Nossos escoliastas mais modernos são igualmente perspicazes. Esses companheiros demonstram um significado oculto em *Os Antediluvianos*, uma parábola em *Powhatan*, novos pontos de vista para *Cock Robin* e transcendentalismo em *O Pequeno Polegar*. Em suma, foi demonstrado que nenhum homem pode sentar-se para escrever sem um desígnio muito profundo. Assim, muitos problemas são poupados aos autores em geral. Um romancista, por exemplo, não precisa se preocupar com sua moral. Ela está lá — isto é, está em algum lugar — e a moral e os críticos podem cuidar de si mesmos. Quando chegar a hora certa, tudo o que o cavalheiro pretendia fazer, e tudo o que ele não pretendia fazer, será es-

---

16 Paródia cômica no poema "Ilíada", de Homero, no qual era descrita uma batalha entre rãs e ratos. (N. do T.)

clarecido na revista *Dial*[17], ou na *Down-Easter*, junto com tudo o que ele deveria ter pretendido, e o resto que ele claramente pretendia pretender — para que tudo fique bem no final.

Não há, portanto, fundamento justo para a acusação feita por certos ignorantes contra mim — de que nunca escrevi uma história moral, ou, em palavras mais precisas, uma história com uma moral. Eles não são os críticos predestinados a me revelar e desenvolver minha moral: esse é o segredo. Aos poucos, o *North American Quarterly Humdrum*[18] os deixará envergonhados de sua estupidez. Enquanto isso, a fim de impedir a execução — a fim de mitigar as acusações contra mim — ofereço a triste história anexada: uma história sobre cuja moral óbvia não pode haver qualquer dúvida, uma vez que é possível lê-las nas letras enormes em negrito que formam o título do conto. Eu deveria receber algum crédito por esta produção — sendo este conto muito mais sábio do que o de La Fontaine e outros, que reservam a impressão para ser transmitida até o último momento, e assim a escondem no final das suas fábulas.

Defuncti injuria ne afficiantur[19] era uma lei das doze tábuas, e *De mortuis nil nisi bonum*[20] é uma excelente injunção — mesmo que os mortos em questão não sejam nada além de uns mortos meia-boca. Não é minha intenção, portanto, difamar meu falecido amigo, Toby Dammit. Ele era um pobre coitado, é verdade, e a morte de um coitado foi a que teve; mas ele próprio não era culpado por seus vícios. Eles surgiram de um defeito pessoal de sua mãe. Ela empenhava-se em açoitá-lo quando criança — pois os deveres para com sua mente estável sempre foram os prazeres, e as crianças, assim como os bifes duros ou as modernas oliveiras gregas, eram invariavelmente melhores para espancar. Mas, pobre mulher! Ela teve a infelicidade de nascer canhota, e para uma criança ser açoitada com a mão esquerda, é melhor que não seja açoitada.

O mundo gira da direita para a esquerda. Não adianta golpear uma criança da esquerda para a direita. Se cada golpe na direção correta expulsa uma tendência para o mal, logo, cada golpe na direção oposta in-

---

17 *The Dial* foi uma revista estadunidense publicada que circulou entre os anos de 1840 e 1929. (N. do T.)
18 Em português "Monotonia Trimestral norte-americana", é o nome fictício de um jornal, citado por Poe provavelmente com o objetivo alfinetar os editores e jornalistas da época que criticavam o teor de suas obras. (N. do T.)
19 Do latim: O defunto não será prejudicado por ferimentos. (N. do T.)
20 Do latim: Não diga nada além de coisas boas sobre os mortos. (N. do T.)

sere uma cota de maldade no castigado. Frequentemente estive presente nos castigos de Toby e, até mesmo pela maneira como ele se debatia, pude perceber que estava ficando pior e pior a cada dia. Finalmente vi, através das lágrimas nos meus olhos, que não havia esperança alguma para o miserável, e um dia, quando ele foi algemado até ficar com o rosto tão preto que alguém poderia tê-lo confundido com um pequeno africano, e nenhum efeito foi produzido além de fazê-lo se contorcer até ter um ataque, não aguentei mais, mas imediatamente me ajoelhei e, erguendo a voz, profetizei sua ruína.

O fato é que sua precocidade no vício era terrível. Aos cinco meses de idade, ele costumava ter tantas paixões[21] que mal conseguia articular. Aos seis meses, peguei-o roendo um baralho. Aos sete meses ele tinha o hábito constante de agarrar e beijar as crianças do sexo feminino. Aos oito meses, recusou-se categoricamente a assinar o compromisso com o movimento da Temperança[22]. Assim, sua iniquidade foi aumentando, mês após mês, até que, no final do primeiro ano, ele não apenas insistiu em usar bigodes, mas também contraiu uma propensão para praguejar e blasfemar, e para respaldar suas crenças em apostas.

Através desta prática nada cavalheiresca, a ruína que eu havia previsto para Toby Dammit finalmente o alcançou. O costume havia "crescido conforme o seu crescimento e fortaleceu-se com a sua força", de modo que, quando se tornou um homem, dificilmente conseguia pronunciar uma frase sem intercalá-la com uma proposta de aposta. Não que ele realmente tenha arriscado seu dinheiro em apostas, isso não. Farei justiça ao meu amigo ao dizer que ele preferiria botar ovos a correr esse risco. Isso era apenas um mau hábito, nada mais. Essas expressões não tinham significado algum. Eram apenas expletivos simples, se não totalmente inocentes — expressões imaginativas com as quais se completava uma frase. Quando dizia "aposto que você é fulano de tal", ninguém jamais pensou em levá-lo a sério; mas, ainda assim, não pude deixar de pensar que era meu dever repreendê-lo. Era um hábito imoral, e eu disse isso a ele. Um hábito vulgar, implorei-lhe que acreditasse em mim. Era reprovado pela sociedade, não digo nada além da verdade. Era proibido por

---

21 Nesse contexto, "paixão" é entendido como um impulso ou sentimento intenso que altera o comportamento além da razão. (N. do T.)
22 O movimento da Temperança foi uma iniciativa social contra o consumo de bebidas alcoólicas no início do século XIX, nos EUA. (N. do T.)

lei pelo Congresso, e aqui eu não tinha a menor intenção de mentir. Eu protestei, mas sem nenhum êxito. Eu demonstrei, em vão. Eu supliquei, ele sorriu. Eu implorei, ele riu. Eu roguei, ele zombou. Eu ameacei, ele praguejou. Eu o chutei, ele chamou a polícia. Puxei-lhe o nariz, ele assoou-o e ofereceu-se para apostar sua cabeça com o Diabo que eu não ousaria tentar aquela experiência novamente.

A pobreza era outro vício que a peculiar deficiência física da mãe de Dammit tinha imposto ao filho. Ele era terrivelmente pobre, e esta era a razão, sem dúvida, para que as suas expressões sobre apostas raramente tomassem um rumo pecuniário. Não me atrevo a dizer que alguma vez o ouvi fazer uso de uma figura de linguagem como "aposto um dólar". Geralmente era "aposto o que quiser", "aposto o que ousar apostar", "aposto uma bagatela", ou então, mais significativamente ainda, "aposto a minha cabeça com o Diabo".

Esta última frase parecia agradar-lhe mais, talvez porque envolvia um risco menor; pois Dammit havia se tornado excessivamente parcimonioso. Se alguém acabasse aceitando tal aposta, sua cabeça era pequena e, portanto, sua perda também teria sido pequena. Mas estas são as minhas próprias reflexões e não tenho a certeza de estar certo ao atribuí-las a ele. Em todo o caso, a frase em questão ganhava cada vez mais popularidade em seu dia a dia, apesar da grande indecência de um homem apostar os seus miolos como se fossem notas — mas este era um ponto cujo temperamento perverso do meu amigo não lhe permitiria compreender.

No fim, ele abandonou todas as outras formas de aposta e se entregou ao "vou apostar minha cabeça com o Diabo", com uma obstinação e devoção tão exclusivas que não só me desagradaram como me surpreenderam. Circunstâncias incompreensíveis sempre me desagradam. Mistérios obrigam um homem a pensar e, por isso, prejudicam sua saúde. A verdade é que havia algo na maneira com que o Sr. Dammit costumava expressar sua frase ofensiva, algo em seu modo de falar, que inicialmente me interessou e depois me deixou muito inquieto, algo que, por falta de um termo mais definitivo no momento, permita-me chamar de estranho; mas que o Sr. Coleridge chamaria de místico, o Sr. Kant de panteístico, o Sr. Carlyle de perverso, e o Sr. Emerson, *hiperquizzitista*[23]. Comecei a não gostar nada daquilo. A alma do Sr. Dammit estava em perigo. Resolvi empregar toda a minha eloquência para salvá-la. Jurei servi-lo

---

23 Acredita-se que o autor tenha inventado essa palavra para o conto. Não há um significado conhecido. (N. do T.)

assim como é dito que São Patrício, na crônica irlandesa, serviu ao sapo, ou seja, "acordá-lo para a consciência de sua situação". Encarreguei-me imediatamente dessa tarefa. Uma vez mais, recorri à repreensão. Novamente reuni minhas energias para uma tentativa final de repreensão.

Quando terminei o meu sermão, o Sr. Dammit entregou-se a um comportamento muito ambíguo. Por alguns momentos, ele permaneceu em silêncio, limitando-se a me encarar inquisitivamente. Mas, logo em seguida, inclinou a cabeça para o lado e ergueu as sobrancelhas de forma exagerada. Em seguida, abriu as palmas das mãos e deu de ombros. Depois, piscou o olho direito. Em seguida, repetiu o movimento com o olho esquerdo. Depois, fechou os dois olhos bem apertados. Em seguida, abriu os dois olhos tão amplamente que fiquei seriamente alarmado com as consequências. Depois, colocando o polegar no nariz, ele achou adequado fazer um movimento indescritível com o restante dos dedos. Por fim, colocando as mãos na cintura, ele se dignou a responder.

Eu consigo lembrar apenas dos principais pontos de seu discurso. Ele disse que ficaria grato se eu ficasse calado. Que não queria nenhum dos meus conselhos. Que desprezava todas as minhas insinuações. Que ele era maduro o suficiente para cuidar de si mesmo. Será que eu ainda pensava que ele era um bebê? Será que eu estava insinuando algo sobre seu caráter? Teria eu a intenção de insultá-lo? Eu era tolo a esse ponto? Minha progenitora tinha ciência de minha ausência da residência familiar? Ele me colocava esta última questão como a um homem de veracidade, e se comprometeria a ceder às minhas críticas a depender da minha resposta. Mais uma vez, perguntava-me explicitamente se minha mãe sabia que eu estava fora. Segundo ele, minha confusão me traía, e ele estaria disposto a apostar sua cabeça com o Diabo, que ela não sabia.

O Sr. Dammit não esperou por minha resposta. Virando as costas, ele deixou minha presença com uma saída precipitada e indigna. Foi bom para ele que o fizesse. Meus sentimentos tinham sido feridos. Até mesmo minha raiva havia sido despertada. Pela primeira vez, eu teria aceitado a aposta insultuosa dele. Eu teria ganhado para o Arqui-Inimigo a cabeça do Sr. Dammit, porque o fato é que minha mãe estava bem ciente de que minha ausência de casa era apenas temporária.

Mas, como dizem os muçulmanos quando alguém pisa em seus pés, *Khoda shefa midêhed*: O Céu dá alívio. Foi em cumprimento do meu dever que fui insultado, e suportei o insulto como um homem. Agora me pareceu, no entanto, que eu tinha feito tudo o que poderia ser exigido de mim no caso deste indivíduo miserável, e resolvi não mais incomodá-lo com meus conselhos, mas deixá-lo com sua própria consciência. No entanto, mesmo que eu tenha evitado interferir com meus conselhos, não consegui me afastar completamente de sua companhia. Cheguei mesmo a fazer a vontade de algumas das suas propensões menos repreensíveis; e houve momentos em que me vi louvando suas piadas mais maliciosas, como os epicuristas fazem com o mostarda, com lágrimas nos olhos, tão profundamente me entristecia ouvir suas palavras malignas.

Um belo dia, havíamos saído juntos, de braços dados, e nosso caminho nos levou em direção a um rio. Havia uma ponte, e resolvemos atravessá-la. A ponte estava coberta por um telhado, como proteção contra as intempéries, e o arco, com poucas janelas, a deixava desconfortavelmente escura. Quando entramos na passagem, o contraste entre a claridade exterior e a escuridão interior afetou profundamente meu espírito. Não foi o mesmo com o infeliz Dammit, que ofereceu ao Diabo a própria cabeça em uma aposta de que eu estava deprimido. Ele parecia estar de um humor excepcional. Estava excessivamente animado, a ponto de eu ruminar uma suspeita inquietante, eu não sei bem de quê. É bem possível imaginar que ele estivesse afetado pelos transcendentalistas. No entanto, não estou suficientemente versado no diagnóstico dessa doença para falar com firmeza sobre o assunto, e infelizmente, nenhum dos meus amigos da *Dial* estava presente. Sugiro a ideia, no entanto, devido a uma certa espécie de bufonaria austera que parecia assolar meu pobre amigo e fazê-lo agir como um verdadeiro bobo. Nada o satisfazia mais do que pular sobre tudo o que cruzava seu caminho, gritando em seguida, e murmurando de vez em quando todo o tipo de palavras estranhas, enquanto mantinha o tempo todo a expressão mais séria do mundo. Eu realmente não sabia se devia rir dele ou ter pena. Por fim, ao quase terminarmos a travessia da ponte, fomos impedidos por uma catraca de uma certa altura. Passei por ela silenciosamente, empurrando-a como de costume. Mas essa catraca não servia para o propósito de Mr. Dammit. Ele insistiu em pular, dizendo que poderia dar um salto no ar por cima dela. Agora, falando sinceramente, não achei que ele fosse capaz de fazer isso. O melhor saltador de catracas era meu amigo Mr. Carlyle, e, sabendo que ele não poderia fazê-lo, não acreditava que Toby Dammit fosse capaz. Portanto, disse a ele, sem rodeios, que era um fanfarrão e não poderia fazer o que estava dizendo. Por isso, tive razões para me arrepender mais tarde, pois ele imediatamente ofereceu-se para apostar a cabeça com o Diabo em como conseguiria.

Apesar das minhas resoluções anteriores, eu estava prestes a responder com alguma repreensão contra a impiedade dele, quando ouvi, bem ao meu lado, uma tosse discreta, que soou muito como a exclamação "Aham!". Eu dei um salto e olhei em volta com surpresa. Meu olhar, por fim, caiu em um canto da estrutura da ponte, e sobre a figura de um senhor idoso e coxo, de aspecto venerável. Nada poderia ser mais reverente do que toda a sua aparência; pois ele não só estava vestido com um terno completo preto, mas sua camisa estava perfeitamente limpa e a gola estava dobrada com muito capricho sobre uma gravata branca, enquanto seus cabelos estavam divididos na frente como os de uma moça. Suas mãos estavam calmamente unidas sobre o estômago, e seus dois olhos estavam cuidadosamente revirados para cima, na parte superior da cabeça.

Ao observá-lo mais de perto, percebi que ele usava um avental de seda preta sobre suas calças; e isso era algo que achei muito estranho. Antes que eu tivesse tempo de fazer qualquer comentário sobre uma circunstância tão singular, no entanto, ele me interrompeu com um segundo "Aham!".

Eu não estava imediatamente preparado para responder a esta observação. A verdade é que exclamações de natureza tão lacônica quanto essa são quase impossíveis de responder. Já vi até mesmo uma resenha trimestral ser desconcertada pela palavra "Disparate!". Portanto, não me envergonho de dizer que me virei para o Sr. Dammit em busca de ajuda.

— Dammit — disse eu —, o que está acontecendo? Você não está ouvindo? O cavalheiro disse "Aham!".

Olhei severamente para meu amigo enquanto me dirigia a ele, pois, para dizer a verdade, estava particularmente confuso, e quando um homem está particularmente confuso, ele deve franzir a testa e parecer carrancudo, caso contrário, é bem provável que pareça um tolo.

— Dammit[24] — observei, embora isso soasse muito como um palavrão, que nada estava mais longe dos meus pensamentos. — Dammit — sugeri —, o cavalheiro disse "Aham!".

Não tento defender minha observação com base em sua profundidade; eu mesmo não a considerava profunda. No entanto, observei que o efeito de nossos discursos nem sempre é proporcional à importância

---

24 Em inglês, "dammit" é uma expressão que pode significar "caramba" ou "porcaria". (N. do T.)

que atribuímos a eles; e se eu tivesse atingido o Sr. D. com uma bomba Paixhan[25] ou o tivesse golpeado na cabeça com o livro *Poetas e Poesias da América*[26], dificilmente ele teria ficado mais desconcertado do que quando me dirigi a ele com essas palavras simples:

— Dammit, o que está acontecendo? Você não me ouviu? O cavalheiro disse "Aham!".

— Não me diga? — exclamou ele finalmente, depois de ficar mais pálido do que um pirata quando é perseguido por um navio de guerra. — Você tem certeza de que ele disse isso? Bem, de qualquer forma, estou interessado agora e posso muito bem encarar a situação com coragem. Vamos lá, então: "Aham!".

Com isso, o velhote parecia satisfeito — só Deus sabe por quê. Ele deixou seu lugar no canto da ponte, avançou mancando com um ar gracioso, apertou a mão de Dammit cordialmente e olhou o tempo todo diretamente em seu rosto com uma expressão da mais pura benignidade que é possível para a mente humana imaginar.

— Tenho certeza de que você vai ganhar, Dammit — disse ele, com o sorriso mais sincero de todos —, mas somos obrigados a fazer uma tentativa, sabe, apenas por formalidade.

— Aham! — respondeu meu amigo, tirando o casaco com um suspiro profundo, atando um lenço de bolso em volta da cintura e alterando seu semblante de uma forma inexplicável, revirando os olhos e baixando os cantos da boca. — Aham! — e novamente após uma pausa: — Aham! — e depois disso, nunca mais o ouvi dizer outra palavra além de "Aham!".

"Ahá!", pensei, sem expressar em voz alta, "este é um silêncio notável por parte de Toby Dammit e, sem dúvida, é consequência de sua verborragia em ocasiões anteriores. Um extremo induz ao outro. Eu me pergunto se ele esqueceu as muitas perguntas irrespondíveis que me fez no dia em que lhe dei meu último sermão? Em todo caso, ele está curado dos transcendentalistas."

— Aham! — respondeu Toby, como se estivesse lendo meus pensamentos e parecendo uma ovelha muito velha em devaneio.

O velho cavalheiro agora o pegou pelo braço e o levou para a sombra da ponte, alguns passos atrás da catraca.

---

25 O canhão Paixhan foi a primeira arma utilizada para disparar projéteis explosivos. (N. do T.)
26 Livro popular americano publicado em 1842. (N. do T.)

— Meu bom rapaz — disse ele —, é questão de consciência permitir que você tenha essa oportunidade. Espere aqui até que eu me posicione perto da catraca, para que eu possa ver se você o ultrapassa de maneira elegante e transcendental, sem deixar de fazer nenhum floreio com os pés. Apenas uma formalidade, você sabe. Eu vou dizer "um, dois, três e vá". Lembre-se de começar na palavra "vá".

Aqui, ele tomou sua posição junto a catraca, pausou por um momento como se estivesse em profunda reflexão, olhou para cima e, pensei eu, sorriu muito ligeiramente, depois apertou as cordas de seu avental, olhou demoradamente para Dammit e, finalmente, deu a palavra conforme o combinado:

Um, dois, três e vá!

Pontualmente na palavra "vá", meu pobre amigo partiu em um galope forte. A catraca não era muito alta — assim como a de Mr. Lord —, nem muito baixa — como a dos revisores de Mr. Lord —, mas, no geral, eu tinha certeza de que ele a ultrapassaria. Mas, e se ele não ultrapassasse? Ah, essa era a questão: e se ele não ultrapassasse?

— Que direito — eu disse —, tinha o velho cavalheiro de fazer com que qualquer outro cavalheiro saltasse? Esse velho ponto-e-vírgula! Quem ele pensa que é? Se ele me pedir para saltar, eu não farei isso, ponto final, e não me importa quem diabos ele seja.

A ponte, como eu disse, era arqueada e coberta de uma maneira muito ridícula, e havia um eco muito desconfortável a todo momento, um eco que eu nunca tinha reparado tão particularmente como quando pronunciei as quatro últimas palavras de meu comentário.

Mas o que eu disse, o que eu pensei, ou o que ouvi ocupou apenas um instante. Em menos de cinco segundos após o arranque, meu pobre amigo Toby tinha dado o salto. Eu o vi correr agilmente e saltar grandiosamente do chão da ponte, fazendo os movimentos mais incríveis com as pernas enquanto subia. Vi-o no ar, a voar como um pombo de forma admirável, passando justamente por cima do topo da catraca; e, é claro, achei extremamente singular que ele não continuasse a subir.

Mas o salto inteiro foi questão de um momento, e, antes que eu tivesse a chance de fazer refletir com calma sobre o que estava acontecendo, o Sr. Dammit caiu de costas, do mesmo lado da catraca de onde havia começado. No mesmo instante, vi o velho cavalheiro mancando em alta velocidade, tendo pegado e envolvido em seu avental algo que caiu pesadamente da escuridão do arco logo acima da catraca.

Fiquei muito surpreso com tudo isso, mas não tive tempo para pensar, pois Dammit estava deitado muito quieto, e concluí que ele poderia estar envergonhado e precisava da minha ajuda. Corri até ele e descobri que havia sofrido o que poderia ser chamado de uma lesão grave.

A verdade é que Dammit tinha perdido a sua cabeça, que, após uma busca minuciosa, não consegui encontrar em lugar algum; então, decidi levá-lo para casa e chamar os homeopatas. Enquanto isso, um pensamento me ocorreu e abri uma janela próxima da ponte, quando a triste verdade me atingiu de imediato. A cerca de um metro e meio acima do topo da catraca, atravessando o arco de modo a constituir um suporte, estendia-se uma barra de ferro plana, havia uma barra de ferro plana, deitada com sua largura na horizontal e fazendo parte de uma série de barras cujo objetivo era fortalecer a estrutura em toda a sua extensão. Tornou-se evidente que foi precisamente com a extremidade dessa barra que o pescoço do meu infeliz amigo entrou em contato.

Ele não sobreviveu por muito tempo à sua terrível perda. Os homeopatas não lhe deram remédios suficientes e, do pouco que deram, ele hesitou em tomar. Assim, no final, ele piorou e, por fim, morreu, uma lição para todos os desordeiros imprudentes. Reguei seu túmulo com minhas lágrimas, coloquei uma barra oblíqua em seu brasão de família e, para as despesas gerais de seu funeral, enviei minha conta muito modesta aos transcendentalistas. Os patifes se recusaram a pagá-la, então mandei desenterrar o Sr. Dammit imediatamente e o vendi como comida para cachorros.

O HOMEM QUE FORA CONSUMIDO

UMA HISTÓRIA SOBRE A BATALHA DO ANTIGO POVO BUGA-BOO DO POVO KICKAPOO.

Pleurez, pleurez, mes yeux, et fondez vous en eau!
La moitié de ma vie a mis l' autre au tombeau.[27] —CORNEILLE.

---

27 Do francês: Chorem, chorem, olhos meus, e derretam-se em água! / Metade da minha vida deixou a outra à míngua. (N. do T.)

Não consigo me lembrar, agora, quando ou onde conheci aquele verdadeiramente belo cavalheiro, o Brigadeiro-General John A. B. C. Smith. Alguém *certamente* me apresentou àquele senhor, tenho certeza — em alguma reunião pública, disso eu sei — realizada sobre algo de grande importância, sem dúvida — em algum lugar, estou convicto — cujo nome inexplicavelmente esqueci. A verdade é que a introdução foi acompanhada, da minha parte, por um grau de ansiedade preocupada que operou para evitar quaisquer impressões definitivas de tempo ou lugar. Eu sou ansioso por natureza — isso, comigo, é uma falha de família, e não posso evitar. Especialmente, o menor surgimento de mistério — de qualquer ponto que não posso exatamente compreender — me coloca imediatamente em um estado lastimável de agitação.

Havia algo, por assim dizer, notável — sim, notável, embora este seja um termo fraco para expressar por completo o que quero dizer — sobre toda a individualidade da personagem em questão. Ele tinha cerca de um metro e oitenta de altura e uma presença singularmente imponente. Havia um ar distinto permeando o homem por inteiro, que falava de linhagem egrégia e insinuava nascença nobre. Sobre este tópico — o tópico da aparência pessoal de Smith — tenho uma espécie de satisfação melancólica em ser minucioso. Sua cabeleira faria honra a um Brutus; nada poderia ser mais ricamente fluído ou possuir um brilho mais intenso. Era de um preto carvão, que era também a cor, ou mais propriamente, a falta de cor de suas inimagináveis costeletas. Perceba que não posso falar destas últimas sem entusiasmo; não é demais dizer que eram o mais belo par de costeletas sob o sol. Em todo caso, elas cercavam e, às vezes, parcialmente sombreavam uma boca incomparável.

Ali estavam os dentes mais uniformes e brilhantemente brancos de todos os dentes concebíveis. Através deles, em todas as ocasiões apropriadas, emitia-se uma voz de uma clareza, melodia e força excepcionais. No que diz respeito aos olhos, meu conhecido também era sublimemente favorecido. Qualquer um dos dois valia o dobro dos órgãos oculares comuns. Eles eram de uma cor avelã profunda, extremamente grandes e brilhantes; e havia perceptivelmente sobre eles, de vez em quando, exatamente aquela quantidade de obliquidade interessante que dá profundidade à expressão.

O busto do General era inquestionavelmente o melhor busto que já vi. Juro de pés juntos, você não poderia encontrar uma falha em sua maravilhosa proporção. Essa peculiaridade rara realçava de forma impressionante um par de ombros que teriam provocado um rubor de inferioridade consciente no rosto do Apolo de mármore. Tenho uma paixão por ombros bonitos e posso dizer que nunca os vi em perfeição antes. Os braços eram admiravelmente modelados. E as pernas não eram menos incríveis.

Essas eram, de fato, as pernas supremas. Todo conhecedor em tais assuntos admitia que as pernas eram adequadas. Não havia nem excesso de carne, nem muito pouca, nem rudeza nem fragilidade. Não consigo imaginar uma curva mais graciosa do que a do osso da coxa, e havia apenas aquela devida saliência suave na parte de trás da fíbula que contribui para a formação de uma panturrilha de proporções adequadas. Eu desejava que meu jovem e talentoso amigo, Chiponchipino, o escultor, tivesse visto as pernas do Brigadeiro-General John A. B. C. Smith.

Mas, embora homens absolutamente bem-apessoados não sejam tão comuns quanto racionalidade ou amoras, eu ainda não conseguia acreditar que aquele *algo notável*, ao que me referi agora mesmo, ou seja, aquele estranho ar de *je ne sais quoi*[28] que cercava o meu novo conhecido, se devesse inteiramente, ou de fato, em sua suprema excelência de dotes corporais. Talvez isso pudesse ser atribuído às suas *maneiras*; embora, novamente, eu não pudesse afirmar com certeza. Havia uma formalidade, para não dizer rigidez, em sua postura — um grau de precisão medida e, se posso assim expressar, de retidão que acompanhava cada um de seus movimentos, o que, observado em uma figura menor, teria tido o menor dos sabores de afeto, pomposidade ou constrangimento, mas que notado em um cavalheiro de suas indiscutíveis dimensões, era facilmente atribuído à reserva, altivez — a um senso louvável, em suma, do que é devido à dignidade de proporções colossais.

O amável amigo que me apresentou ao General Smith sussurrou algumas palavras comentando sobre o homem em meu ouvido. Ele era um homem notável — um homem *muito* notável — de fato, um dos homens mais notáveis da época. Ele era um favorito especial, também, das damas — principalmente por causa de sua alta reputação por coragem.

— Nesse ponto, ele é incomparável. Na verdade, ele é um verdadeiro come-fogo[29], um valentão convicto, sem dúvida alguma — disse meu

---

28   Do Francês: "Eu não sei o quê". (N. do T.)
29   Em inglês Fire-eater: membro de um grupo de radicais sulistas que defenderam a escravidão durante a guerra civil dos Estados Unidos. (N. do T.)

amigo, com a voz muito baixa, e me envolvendo com o mistério de seu tom. — Um verdadeiro valentão convicto, sem dúvida alguma. Mostrou isso, eu diria, com grande eficácia, na recente e tremenda luta no pântano, lá no Sul, com os índios Bugaboo e Kickapoo — Aqui, meu amigo abriu bem os olhos. — Meu Deus!... Sangue e trovão, e tudo isso!... Milagres de valor!... Ouviu falar dele, certo?... Sabe que ele é o homem...

— Meu homem, como você está? Ora, como você está? Muito feliz em vê-lo, de fato! — Aqui o próprio General o interrompeu, segurando a mão do meu companheiro enquanto ele se aproximava e fazendo uma reverência rígida, mas profunda, quando fui apresentado.

Naquela época, achei (e ainda acho) que nunca ouvi uma voz mais clara e forte, nem vi um conjunto de dentes mais bonitos, mas devo dizer que fiquei triste com a interrupção naquele momento, porque, devido aos sussurros e insinuações mencionados anteriormente, meu interesse havia sido despertado pelo herói da batalha Bugaboo e Kickapoo.

No entanto, a conversa encantadoramente iluminada com o Brigadeiro-General John A. B. C. Smith logo dissipou completamente esse desgosto. Meu amigo nos deixando, imediatamente tivemos uma longa conversa particular, e eu não apenas fiquei satisfeito, mas realmente instruído. Nunca ouvi um orador mais fluente, nem um homem com maior conhecimento geral. Com modéstia adequada, ele se absteve, no entanto, de tocar no tema que eu mais tinha em mente naquele momento — quero dizer, as circunstâncias misteriosas que cercaram a guerra Bugaboo — e, da minha parte, o que considero um senso adequado de delicadeza me proibiu de abordar o assunto; embora, na verdade, eu estivesse extremamente tentado a fazê-lo. Percebi também que o bravo soldado preferia tópicos de interesse filosófico e que ele se deliciava, especialmente, em comentar sobre o rápido avanço da invenção mecânica. Na verdade, onde quer que eu o levasse, esse era um ponto para o qual ele inevitavelmente retornava.

— Não há nada igual — ele dizia — somos um povo maravilhoso e vivemos em uma era maravilhosa. Paraquedas e ferrovias, arapucas e armadilhas! Nossos barcos a vapor estão em todos os mares, e o balão de correio Nassau está prestes a fazer viagens regulares (passagem de ida e volta por apenas vinte libras esterlinas) entre Londres e Tombuctu. E quem pode calcular a imensa influência sobre a vida social, as artes, o comércio, a literatura, que será o resultado imediato dos grandes princípios da eletromagnética! E isso não é tudo, deixe-me lhe assegurar! Não há realmente fim para o avanço da invenção. Os dispositivos mecânicos mais maravilhosos, mais engenhosos, e deixe-me acrescentar, senhor... senhor... Thompson, eu acredito que é o seu nome... deixe-me acrescentar, digo eu, os dispositivos mecânicos mais úteis, os mais verdadeiramente úteis, estão surgindo diariamente como cogumelos, se posso me expressar assim, ou, de forma mais figurativa, como... ah... gafanhotos... como gafanhotos, senhor Thompson... ao nosso redor e... Ha! Ha! Ha!... ao nosso redor!

Thompson, certamente, não é o meu nome, mas é desnecessário dizer que deixei o General Smith com um maior interesse no homem, com uma opinião elevada de suas habilidades de conversa e um profundo senso dos privilégios valiosos que desfrutamos ao viver nesta Era de invenção mecânica. No entanto, minha curiosidade não havia sido completamente satisfeita, e eu resolvi iniciar uma investigação imediata entre meus conhecidos sobre o Brigadeiro-General em si, e particularmente sobre os tremendos eventos, dos quais ele foi uma parte importante, durante a batalha de Bugaboo e Kickapoo.

A primeira oportunidade que se apresentou, e que (*horresco referens*[30]) não hesitei em aproveitar ao máximo, ocorreu na Igreja do Reverendo Doutor Drummummupp, onde me encontrei em um domingo, bem na hora do sermão, não apenas no banco, mas ao lado daquela digna e comunicativa amiga minha, a Srta. Tabitha T. Assim, sentado me parabenizei, e com muita razão, pelo estado muito lisonjeiro do assunto. Se alguém sabia algo sobre o Brigadeiro-General John A. B. C. Smith, essa pessoa, ficou claro para mim, era a Srta. Tabitha T. Trocamos alguns sinais e depois começamos, em voz baixa, uma animada conversa *tête-à-tête*[31].

— Smith! — Disse ela, em resposta à minha pergunta muito séria — Smith!... ora, não é o General John A. B. C.? Meu Deus, pensei que você soubesse *tudo* sobre ele! Esta é uma Era incrivelmente inventiva! Terrível o que aconteceu!... Um bando sanguinário, esses Kickapoos!... Lutou como um herói... milagres de coragem... renome imortal. Smith!... Brigadeiro-General John A. B. C.! você sabe que ele é o homem...

---
30 Do latim: Me horrorizo ao contar. (N. do T.)
31 Conversa privada entre duas pessoas. (N. do T.)

— O homem — interrompeu o Dr. Drummummupp, no mais alto tom de sua voz, e com uma força que quase derrubou o púlpito perto de nossos ouvidos —, o homem que nasce de uma mulher tem um curto tempo de vida; ele surge e é cortado como uma flor!

Eu saltei para a extremidade do banco e percebi pelos olhares animados do divino que a ira que quase provou ser fatal para o púlpito havia sido provocada pelos sussurros da senhora e de mim. Não havia como evitar, então eu me submeti com boa vontade e ouvi, em todo o martírio de um silêncio digno, o restante desse discurso muito bom.

Na noite seguinte, eu fiz uma rápida visita ao Teatro Rantipole, onde tinha certeza que saciaria minha curiosidade de uma vez, apenas entrando na frisa das requintadas senhoritas Arabella e Miranda Cognoscenti. O grande trágico, Climax, estava interpretando Iago para uma plateia muito lotada, e eu tive alguma dificuldade em fazer com que meu desejo fosse entendido, especialmente porque a nossa poltrona estava ao lado das cortinas, e tinha uma visão completa do palco.

— Smith! — disse a Srta. Arabella, quando finalmente compreendeu o propósito da minha pergunta. — Smith!... ora, não é General John A. B. C.?

— Smith?! — perguntou Miranda, pensativa. — Deus me abençoe, você já viu uma figura mais imponente?

— Nunca, minha senhora, mas por favor me diga...

— Ou algo tão gracioso que o imite?

— Nunca, dou minha palavra!... Mas por favor, me informe...

— Ou alguém que aprecie tanto os efeitos do palco?

— Minha senhora!

— Ou um entendimento tão delicado das verdadeiras belezas de Shakespeare? Seja gentil, e olhe para aquela perna!

— Diabo! — E me virei novamente para a irmã dela.

— Smith! — disse ela. — Ora, não é o General John A. B. C.? Terrível aquilo, não?... Grandes canalhas, esses Bugaboos... selvagens e tudo mais... mas vivemos em uma Era maravilhosamente inventiva!... Smith!... Ah, sim! Grande homem!... Perfeito pistoleiro!... renome imortal!... milagres de coragem! *Nunca antes ouvidos*! — Isso foi dito com um grito.

— Meu Deus! Ora, ele é o homem...

— ... mandrágora

Nem mesmo todos os xaropes soníferos do mundo

Poderão te medicar contra aquele doce sono
Que deves a ontem!

Assim rugiu o momento mais dramático, bem perto do meu ouvido, sacudindo o punho no meu rosto o tempo todo, de uma maneira que eu não suportava, e eu não ia suportar. Eu deixei imediatamente as Srtas. Cognoscenti, fui rapidamente para os bastidores e dei uma surra no miserável patife, da qual espero que se lembre até o dia de sua morte.

Na *soirée*[32] da encantadora viúva, a Sra. Kathleen O'Trump, eu tinha certeza de que não encontraria uma decepção semelhante. Portanto, assim que me sentei à mesa de cartas, com minha bela anfitriã como minha parceira, propus as perguntas cuja solução se tornara essencial para minha paz.

— Smith! — disse minha parceira — Ora, não é o General John A. B. C.? Terrível, não foi? Diamantes, você disse? Terríveis patifes esses Kickapoos! Estamos jogando vinte-e-um, se não se importa, Sr. Tattle. No entanto, esta é a Era da invenção, com certeza é... pode-se dizer... a Era *par excellence*[33]. Fala francês? Ah, um verdadeiro herói, um perfeito aventureiro, sem dúvida. Sem copas, Sr. Tattle? Não acredito... Renome imortal e tudo mais. Milagrosos feitos de bravura! Nunca ouviu falar? Por favor, senhor, ele é o homem...

— Mann! Capitão Mann? — gritou alguma intrometida feminina do canto mais distante da sala. — Você está falando sobre o Capitão Mann e o duelo? Ah, eu preciso ouvir, conte agora, Sra. O'Trump! Vá em frente, conte agora!

E a Sra. O'Trump continuou, falando sobre um certo Capitão Mann, que foi baleado ou enforcado, ou seria ambos. Sim, a Sra. O'Trump continuou, e eu fui embora. Não havia chance de ouvir mais nada naquela noite sobre o Brigadeiro-General John A. B. C. Smith.

Ainda assim, consolei-me com a ideia de que a maré de má sorte não duraria para sempre e decidi fazer um esforço ousado em busca de informações na festa daquela encantadora anjinha, a graciosa Sra. Pirouette.

— Smith! — disse a Sra. P., enquanto rodopiávamos juntos num *pas de zephyr*[34], — Smith!... ora, não é o General John A. B. C.? Coisa terrível a dos Bugaboos, não é?... Criaturas terríveis, esses índios!... Vire

---
32 Termo francês. Festa ou reunião social que ocorre à noite. (N. do T.)
33 Do francês: O melhor exemplo de tal. (N. do T.)
34 Passo de dança comum em bailes do século XIX. (N. do T.)

seus dedos dos pés para fora! Estou realmente envergonhada com você... Homem de grande coragem, coitado!... mas esta é uma Era maravilhosa para a invenção... Ai de mim, estou sem fôlego... um verdadeiro guerreiro... milagres de valor... nunca ouvi falar de coisa assim!... Não consigo acreditar... vou ter que me sentar e te dar uma luz... Smith! Ora, ele é o homem...

— Man-*Frei*, eu te digo! — Berrava a Srta. Bas-Bleu, enquanto levava a Sra. Pirouette a um assento. — Será que alguém já ouviu falar disso? É Man-*Frei*, eu digo, e de forma alguma Man-*Fredo*[35]. — Nesse momento, a Srta. Bas-Bleu fez um sinal para mim de maneira muito autoritária e fui obrigado, quer eu quisesse ou não, a deixar a Sra. P. para resolver uma disputa sobre o título de um drama poético de Lord Byron. Embora eu tenha pronunciado, com grande prontidão, que o título verdadeiro era Man-*Fredo* e de forma alguma Man-*Frei*, quando voltei para procurar a Sra. Pirouette, não pude encontrá-la, e saí da casa com um espírito amargurado de animosidade contra toda a corja dos Bas-Bleus.

O assunto agora havia assumido um aspecto realmente sério, e eu resolvi chamar imediatamente o meu amigo pessoal, o Sr. Theodore Sinivate; pois eu sabia que, pelo menos aqui, eu obteria informações corretas.

— Smith! — Disse ele, com seu jeito peculiar de alongar as sílabas. — Smith!... Ora, não é o General John A. B. C.? Terrível aquela ocorrência com os Kickapo-o-o-os, não foi? Diga! Você não acha?... um completo atira-a-ador... uma grande pena, eu lhe juro!... Que Era maravilhosa de invenção!... mi-i-ilagres de coragem! A propósito, você já ouviu falar do Capitão Ma-a-a-a-n?

— Capitão Mann que se f...! — Disse. — ...faça continuar sua história.

— Ahem! Bem!... é *la même cho-o-ose*[36], como dizemos na França. Smith, não? Brigadeiro-General John A. B. C.? Eu digo — nesse momento, o Sr. S. achou apropriado colocar o dedo ao lado do nariz — Veja, você não está insinuando agora, realmente, verdadeiramente e conscientemente que você não sabe tudo sobre aquele caso do Smith, assim como eu sei, certo? Smith? John A. B. C.? Meu Deus, ele é o ho-o-omem...

— Sr. Sinivate — disse, implorando —, ele é o homem de máscara?

---

35 Esta estrofe apresenta uma piada com a confusão no nome do poema *Manfredo*, de Lord Byron. (N. do T.)
36 Do francês: A mesma coisa. (N. do T.)

— Não-o-o! — Disse ele, com um ar sábio. — Nem o homem na lu-u-u-a.

Considerei essa resposta um insulto direto e positivo, e saí da casa imediatamente indignado, com a firme intenção de chamar meu amigo, Sr. Sinivate, para prestar contas pelo seu comportamento deselegante e falta de educação.

No entanto, eu não tinha a menor intenção de ser impedido de obter as informações que desejava. Ainda tinha um recurso. Eu iria direto à fonte. Eu ligaria imediatamente para o General em pessoa e exigiria, em termos explícitos, uma solução para esse abominável mistério. Com ele, pelo menos, não haveria espaço para equívocos. Eu seria claro, positivo, rígido — tão direto quanto possível — tão conciso quanto Tácito ou Montesquieu.

Era cedo quando liguei, e o General estava se vestindo; mas aleguei negócios urgentes e fui imediatamente conduzido ao seu quarto por um velho criado negro que permaneceu à disposição durante a minha visita. Ao entrar no quarto, procurei naturalmente pelo ocupante, mas não o vi imediatamente. Havia um grande e extremamente esquisito monte de algo que estava muito próximo aos meus pés, no chão, e como não estava de muito bom humor, dei-lhe um chute para afastá-lo.

— Ahem! Muito civilizado, devo dizer! — disse o monte, com uma das vozes mais pequenas e engraçadas que já ouvi em todos os dias da minha existência, entre um guincho e um assobio. — Ahem! Bem civilizado, devo observar.

Gritei de horror e corri em direção ao canto mais distante do quarto.

— Deus me abençoe, meu caro! — Assobiou o amontoado novamente — O que... o que... o que... ora, o que há de errado? Eu realmente acredito que você não me conhece de forma alguma.

O que eu poderia dizer sobre tudo isso? Eu cambaleei até uma poltrona e, com olhos arregalados e boca aberta, esperei a solução do enigma.

— É estranho você não me reconhecer, não é? — respondeu o ser ininteligível, que percebi ser uma espécie de perna de cortiça, realizando no chão uma evolução inexplicável, muito parecida com a ação de vestir uma meia. Mas havia apenas uma perna à vista.

— É mesmo estranho você não me reconhecer, não é? Pompey, me traga aquela perna! — Então, Pompey entregou um pacote, que continha uma perna de cortiça muito boa, já vestida, e a prendeu com agilidade; e então a figura ficou de pé diante dos meus olhos.

— E foi uma ação sangrenta — continuou a criatura, como se em um monólogo —, mas então, não se pode lutar com os Bugaboos e Kickapoos e esperar sair com um mero arranhão. Pompeu, vou agradecer agora por esse braço. Thomas — virou-se para mim — é decididamente o melhor com pernas de cortiça, mas se você algum dia precisar de um braço, meu caro, permita-me recomendar seriamente o Bishop. — Pompeu encaixou um braço.

— Tivemos uma briga e tanto, como você pode imaginar. Agora, seu patife, coloque meus ombros e peito! Pettitt faz os melhores ombros, mas para um peito você terá que ir até Ducrow.

— Peito! — disse eu.

— Pompeu, você nunca finalizará essa peruca? Escalpar é um processo difícil, afinal; mas você pode conseguir um arranhão bom desse jeito na De L'Orme.

— Arranhão!

— Agora, seu negro, meus dentes! Para um bom conjunto deles, é melhor ir até Parmly's imediatamente; preços altos, mas trabalho excelente. No entanto, engoli alguns dígitos muito altos quando o grande Bugaboo me empurrou para baixo com a ponta do rifle.

— Ponta! Empurrar!! Meu olho!!

— Ah, sim, a propósito, meu olho... aqui, Pompey, seu patife, parafuse-o! Esses Kickapoos não são tão devagar com uma furadeira; mas, afinal de contas, esse Dr. Williams é um homem injustiçado; você não pode imaginar o quão bem eu vejo com os olhos feitos por ele.

Com isso, comecei a perceber claramente que o objeto diante de mim não era nada mais, nada menos do que o meu novo conhecido, Brigadeiro-General John A. B. C. Smith. As manipulações de Pompey haviam feito, devo confessar, uma diferença muito marcante na aparência do homem. A voz, no entanto, ainda me confundia um pouco; mas até esse aparente mistério foi rapidamente esclarecido.

— Pompey, seu patife — guinchou o General —, eu realmente acredito que você me não deixaria sair sem meu palato.

Com isso, o negro, murmurando um pedido de desculpas, aproximou-se de seu mestre, abriu-lhe a boca com o ar conhecedor de um tratador de cavalos, e ajustou nela uma máquina de aparência um tanto singular, de maneira muito habilidosa, que eu não conseguia entender completamente. A alteração, no entanto, na expressão inteira do rosto do General foi instantânea e surpreendente. Quando ele falou novamente, sua voz havia retomado toda aquela rica melodia e força que eu tinha notado em nossa introdução original.

— Malditos patifes! — disse ele com uma voz tão clara que eu realmente me assustei com a mudança. — Malditos patifes! Eles não apenas arrebentaram o céu da minha boca, mas também se deram ao trabalho de cortar pelo menos sete oitavos da minha língua. No entanto, na América, não há igual a Bonfanti para artigos de qualidade genuína deste tipo. Posso recomendá-lo com confiança — o General fez uma reverência —, e asseguro que tenho o maior prazer em fazê-lo.

Eu agradeci sua gentileza da melhor maneira possível e me despedi imediatamente, com total compreensão da verdadeira situação — com uma compreensão completa do mistério que havia me intrigado por tanto tempo. Era evidente. Era um caso claro. O Brigadeiro-General John A. B. C. Smith era o homem... era o homem que fora consumido.

OS ASSASSINATOS DA RUA MORGUE

As características mentais geralmente denominadas analíticas são, por si só, pouco suscetíveis a uma análise. Nós as apreciamos apenas por seus resultados. Sabemos, entre outras coisas, que elas são para quem as possui em alto grau, uma enorme fonte de prazer. Tal como o homem forte se regozija das suas capacidades físicas, deliciando-se com os exercícios que põem os seus músculos em ação, assim também o analista se glorifica com aquela atividade intelectual cuja função é resolver problemas. Encontra prazer até mesmo nas ocupações mais triviais que colocam seu talento em xeque. Ama os enigmas, os paradoxos e os hieróglifos. Ao solucionar cada mistério, demonstra um grau de perspicácia que parece sobrenatural às pessoas de raciocínio mais simplório. Seus resultados, ainda que obtidos através da própria alma e essência do método, apresentam, de fato, toda a qualidade da intuição.

A capacidade de resolução de problemas é, possivelmente, muito fortalecida pelo estudo das matemáticas, e especialmente pela mais elevada de suas vertentes, que injustamente e apenas em função de suas operações, quando retrógradas, vem sendo considerada como a análise em seu mais belo exemplo. Todavia, calcular não é o mesmo que analisar.

Um enxadrista, por exemplo, sempre calcula, sem se esforçar para analisar. Acontece que, o jogo de xadrez, com seus efeitos sobre o caráter mental, não é devidamente apreciado. Não estou, agora, escrevendo um artigo, mas simplesmente prefaciando uma narrativa um tanto peculiar através de observações muito casuais.

Aproveitarei a ocasião, portanto, para afirmar que os poderes mais altos do intelecto reflexivo são exercitados de forma mais decidida e útil através do humilde jogo de damas do que pela frivolidade elaborada do xadrez. Neste último, em que as peças têm movimentos diferentes e bizarros, com os mais diversos e variados resultados, aquilo que é somente complexo se confunde (um erro bem comum) com o profundo. O que faz parte do jogo, principalmente, é a atenção. Se falhar por um momento, o jogador se distrai e comete um erro rumo ao seu prejuízo ou derrota completa. Uma vez que os movimentos possíveis não somente são numerosos como diversificados, a possibilidade de ocorrência de tais distrações é multiplicada. Nove entre dez casos têm como vencedor não o jogador mais inteligente, mas sim o mais concentrado. No jogo de damas, ao contrário, em que os movimentos são sempre os mesmos e existe pouca variação, as probabilidades de um movimento descuidado são diminuídas e a mera atenção fica relativamente fora do jogo, as vantagens obtidas por qualquer um dos jogadores são conquistadas através de uma maior perspicácia.

Para sermos menos abstratos, vamos supor um jogo em que as peças sejam reduzidas a quatro damas e no qual, naturalmente, não se espere qualquer distração. É evidente que a vitória não pode ser decidida senão pela hábil tática resultante de qualquer esforço poderoso do intelecto, já que as duas partes são iguais. Privado de recursos vulgares, o analítico perscruta o espírito do seu adversário, identifica-se com ele e muitas vezes descobre num relance o único meio, um meio algumas vezes absurdamente simples, de induzi-lo a um erro ou de conduzi-lo a um cálculo equivocado.

O jogo de uíste[37] vem sendo notado há muito tempo pela influência que exerce sobre o que é denominado o poder de cálculo. Homens inteligentes aparentemente sentem um prazer inexplicável nesta diversão, enquanto desprezam o xadrez por sua leviandade. Não há dúvida de que nenhum jogo de natureza semelhante exige tanto da faculdade de análise. O melhor enxadrista da cristandade talvez seja pouco melhor que jogador de xadrez; porém a habilidade no uíste implica uma capacidade de sucesso em todas as mais importantes empreitadas, nas quais uma mente disputa com outra. Quando me refiro à habilidade, refiro-me àquela perfeição no exercício do jogo que inclui um entendimento de todas as fontes das quais uma vantagem legítima pode ser obtida. Estas são não apenas múltiplas como multiformes, e frequentemente se encontram em lugares da mente totalmente inacessíveis para a compreensão das pessoas comuns. Observar atentamente significa lembrar distintamente; deste modo, o enxadrista concentrado vai se dar muito bem no uíste; assim como as regras de Hoyle[38] (que se baseiam no próprio mecanismo do jogo) são, em geral, suficientemente compreensíveis.

Sendo assim, uma memória retentiva e a capacidade de agir segundo a razão são as qualidades geralmente consideradas suficientes para ser um bom jogador. Mas é nas questões que vão além dos limites impostos pelas regras que se evidencia a habilidade do analista. Em silêncio, ele realiza uma série de observações e faz hipóteses. Talvez seus companheiros façam o mesmo. A diferença na quantidade de informações que assim são obtidas não se baseia tanto na validade das hipóteses ou na qualidade da observação. O conhecimento necessário é *o que* deve ser observado.

O jogador hábil não estabelece limites para si mesmo. Nem mesmo, considerando que o jogo é o ponto de foco, abandona hipóteses a partir de coisas totalmente externas ao jogo. Examina a fisionomia de seu parceiro de dupla e a compara cuidadosamente com os rostos de cada um de seus oponentes. Ele considera o modo de classificar as cartas em cada mão; muitas vezes conta vantagem por vantagem

---

37 Jogo de cartas que consiste em 4 jogadores divididos em duas duplas. Era muito popular entre os séculos XVIII e XIX, sendo considerado o ancestral do Bridge. (N. do R.)
38 Referência ao livro *Regras de Hoyle* (*Hoyle's Rules*), que ensina estratégia de jogos competitivos e de raciocínio lógico. (N. do T.)

e figura por figura³⁹, através dos olhares lançados pelos portadores uns sobre os outros. Percebe cada variação na expressão dos semblantes à medida que o jogo se desenrola, reunindo um tesouro de pensamentos a partir das diferenças de expressão de certeza, de surpresa, de triunfo ou de derrota. A partir da maneira como é vencida uma partida, ele julga se a pessoa vencedora pode ganhar outra em seguida ou não. Reconhece o que é jogado para iludir o adversário através do jeito com que a carta é jogada sobre a mesa. Uma palavra casual ou inadvertida; a queda acidental ou a virada de uma carta, com a ansiedade ou indiferença associada à sua ocultação; a contagem dos truques, na ordem de seu aparecimento; o embaraço, a hesitação, a ansiedade ou a incerteza — tudo fornece, à sua percepção aparentemente intuitiva, indicações do verdadeiro estado do jogo. Depois que as duas ou três primeiras mãos foram jogadas, ele tem total controle do valor das cartas que cada jogador possui e, a partir daí, descarta as suas com uma precisão de propósito tão absoluta, como se o resto dos participantes estivesse jogando com as cartas reveladas.

A capacidade de análise não deve ser confundida com o simples engenho. Isso porque, enquanto o analista é forçosamente engenhoso, muitas vezes o homem engenhoso é completamente incapaz de analisar. A capacidade de combinação, ou construtividade, da qual a engenhosidade provém, que os frenologistas⁴⁰ (acredito erroneamente) relacionam com um órgão à parte, supondo que ela seja uma faculdade primordial, apareceu em seres cuja inteligência era limítrofe da idiotice, muitas vezes para atrair a atenção geral dos que escrevem sobre moral. Entre o engenho e a aptidão analítica há uma diferença muito maior do que entre o imaginativo e a imaginação, mas de um caráter rigorosamente análogo. Resumindo, percebemos que o homem engenhoso está sempre cheio de imaginação e que o homem imaginativo não passa de um analítico. A narrativa que se segue será para o leitor um comentário elucidativo das proposições que acabei de expor.

Quando residi em Paris durante a primavera e parte do verão do ano de 18..., conheci o Sr. C. Auguste Dupin. O jovem cavalheiro pertencia

---

39 Denominação para as cartas de naipes mais altos, cuja face contém uma figura (rei, rainha, valete e coringa). (N. do R.)
40 Frenologia: a pseudociência que acreditava que o relevo da cabeça de alguém pudesse ser usado para conhecer sua personalidade e caráter. (N. do T.)

a uma excelente, de fato ilustre, família. Porém, através de uma série de eventos inesperados, havia sido reduzido a uma tal pobreza que a energia de seu caráter sucumbiu perante ela e desistiu de enfrentar o mundo ou preocupar-se em recuperar sua fortuna. Por cortesia de seus credores, permanecia em sua posse uma pequena parte de seu patrimônio. Com essa renda e mantendo rigorosa economia, ele conseguia obter as necessidades básicas da vida, sem se preocupar com supérfluos. De fato, os livros eram seu único luxo, e em Paris, é fácil consegui-los.

Nosso primeiro encontro foi em uma biblioteca obscura na rua Montmartre, e a coincidência de que ambos estávamos em busca do mesmo livro raro e notável fez com que entrássemos em contato e percebêssemos uma comunhão de interesses mais íntima. Encontramo-nos incontáveis vezes. Eu estava profundamente interessado na pequena história de sua família que ele me detalhava com toda aquela ingenuidade que um francês demonstra quando o assunto é ele mesmo ou alguma coisa de seu interesse pessoal. Fiquei espantadíssimo, também, com a vasta extensão de suas leituras. Minha alma foi despertada pelo fervor ardente e originalidade de sua imaginação.

Estando em Paris a fim de realizar certos objetivos que não vêm ao caso expor, senti que a proximidade de um homem assim seria um tesouro inestimável, e confiei-lhe esta impressão com toda a franqueza. Finalmente, decidimos morar na mesma casa enquanto durasse minha permanência naquela cidade. E, como os meus negócios eram um pouco menos complicados do que os dele, encarreguei-me de alugar e de mobiliar, num estilo apropriado à melancolia de nossas personalidades, uma casinha antiga e estranha, situada numa rua solitária de Saint-Germain. Nós desdenhamos de superstições, bem como do motivo que a teria deixado abandonada e quase em ruínas.

Se a rotina de nossa vida neste lugar fosse conhecida do mundo, teríamos sido encarados como dois loucos, ainda que talvez nos considerassem como dois loucos mansos. Nossa reclusão era perfeita. Não recebíamos nenhum visitante. De fato, a localização de nosso retiro tinha sido mantida cuidadosamente em segredo de meus antigos amigos e associados. E Dupin tinha cessado de ter relações de amizade ou mesmo de ser conhecido em Paris há muitos anos. Existíamos somente para nós mesmos.

O meu amigo tinha um estranho gosto (pois como mais eu poderia defini-lo) pela noite por si só. Era a sua paixão, e eu mesmo participava tranquilamente dessa mania e de outras que ele tinha, deixando-me levar ao sabor de todas as suas estranhas originalidades.

A sombria divindade não poderia estar sempre conosco, mas podíamos imitar a sua presença. Logo ao amanhecer, fechávamos as pesadas persianas da nossa casinha e acendíamos duas velas muito perfumadas que não davam senão uma luz muito fraca e muito pálida. Apenas com esta débil claridade a nossa alma entregava-se aos nossos sonhos: líamos, escrevíamos ou falávamos, até que o relógio nos anunciava a verdadeira escuridão. Saíamos pelas ruas, abraçados, continuando a conversa do dia, caminhando ao acaso até tarde. Então, procurávamos, através das luzes desordenadas e das trevas da populosa cidade, essas inumeráveis excitações espirituais que o estudo calmo não pode proporcionar.

Nessas circunstâncias, eu reparava na aptidão analítica particular de Dupin. Parecia sentir um prazer amargo em exercê-la e talvez mesmo em expô-la, e confessava sem cerimônia o prazer que sentia com isso. Dizia-me, com um sorrisinho muito aberto, que muitos homens tinham, para ele, uma janela fechada em vez de um coração, e habitualmente acompanhava uma asserção semelhante de provas imediatas e das mais surpreendentes, tiradas de um conhecimento profundo da minha própria pessoa. Nesses momentos, a sua postura era fria e distante. Os olhos fixavam o vácuo e a sua voz, uma bela voz de tenor, elevava-se, como de costume, uma oitava, com petulância, sem a absoluta deliberação do seu falar e a certeza absoluta da acentuação. Observava-lhe os passos e sonhava muitas vezes com a velha filosofia de desdobramento da alma. Divertia-me com a ideia de um Dupin duplo: um criador e um analista. Não imaginem, depois do que acabo de contar, que vou desvendar um grande mistério ou escrever um romance. O que observei neste francês singular era simplesmente o resultado de uma inteligência superestimulada, talvez doentia. Mas um exemplo dará uma melhor ideia da natureza das suas observações na época a que me refiro.

Uma noite, caminhávamos por uma rua comprida e suja, nas proximidades do Palais Royal. Estando ambos, aparentemente, imersos em pensamentos, nenhum de nós tinha proferido uma sílaba por, no mínimo, quinze minutos. Repentinamente, Dupin proferiu estas palavras:

— Ele é um camarada muito baixinho, é verdade: serviria bem melhor para o Théâtre des Variétés.

— Sem dúvidas — respondi distraidamente, sem observar, a princípio (por encontrar-me profundamente absorvido em reflexões), a maneira extraordinária com que meu interlocutor tinha entrado justamente no espírito de minha meditação.

No instante seguinte, percebi o que havia acontecido e meu espanto foi profundo.

— Dupin — disse eu, gravemente —, isto vai além da minha compreensão. Não hesito em dizer que estou assombrado e dificilmente posso acreditar na evidência de meus sentidos. Como foi possível que você soubesse que eu estava pensando em...? — fiz uma pausa neste ponto, como para me convencer além de toda dúvida de que ele realmente sabia em quem eu estava pensando.

— ...Em Chantilly, naturalmente — ele disse. — Por que fez uma pausa? Você estava observando para si mesmo que tal figura pequena não era adequada para papéis trágicos.

Fora precisamente este o assunto de minhas reflexões. Chantilly tinha sido um sapateiro-remendão da rua Saint-Denis que pegou a febre do palco e fora tentado a representar o papel de Xerxes, na tragédia de mesmo nome, de Crébillon, tendo sido notoriamente satirizado por seus esforços através de panfletos anônimos.

— Explique-me, pelo amor de Deus, o método, se é que houve um método, por meio do qual você foi capaz de ler meus pensamentos dessa forma — eu disse.

De fato, eu estava muito mais impressionado do que me dispunha a admitir.

— Foi o vendedor de frutas que o levou à conclusão de que o sapateiro-remendão não tinha altura suficiente para o papel de Xerxes — explicou.

— O vendedor de frutas! Agora mesmo não entendi nada! Não conheço nenhum fruteiro!

— O homem que veio correndo em sua direção quando entramos nesta rua, deve ter sido há uns quinze minutos.

Lembrei-me, então, que, de fato, um vendedor de frutas, carregando na cabeça um grande cesto cheio de maçãs, quase tinha me derrubado por acidente, quando dobramos da rua C... para a avenida em que estávamos agora; mas não havia a menor possibilidade de associar esse fato a meus pensamentos sobre Chantilly.

— Eu vou explicar — disse ele. — Para que você possa compreender mais claramente, vamos primeiro retraçar o curso de suas meditações, desde o momento em que eu lhe falei até nosso reencontro com o quitandeiro que acabei de mencionar. Os elos maiores da cadeia são os seguintes; Chantilly, Órion, Dr. Nichols, Epicuro, estereotomia, os paralelepípedos da rua e o vendedor de frutas.

Há poucas pessoas que não tenham, em determinado período de suas vidas, se divertido ao tentar retraçar as etapas através das quais conclusões particulares de suas próprias mentes possam ter sido atingidas. Essa ocupação muitas vezes é cheia de interesse; e aquele que tenta realizá-la pela primeira vez pode ficar assombrado pela distância, aparentemente ilimitada e incoerente, entre o ponto de partida e o objetivo alcançado. Imagine-se, então, meu pasmo, minha estupefação ao escutar o francês emitir aquelas sentenças que havia então pronunciado, especialmente depois que não pude deixar de reconhecer que havia falado a verdade, ponto por ponto. Ele continuou:

— Estávamos falando sobre cavalos, se me lembro corretamente, um instante antes de dobrarmos a esquina da rua C... foi este o último assunto que discutimos. No momento em que entramos nessa rua, um quitandeiro, com um cesto grande na cabeça, passando rapidamente por nós, empurrou-o sobre uma pilha de paralelepípedos colocada junto ao ponto em que o pavimento está sendo consertado. Você pisou em uma das pedras soltas, escorregou, distendeu levemente o tornozelo, ficou incomodado e de mau humor por alguns instantes, resmungou umas poucas palavras, voltou-se para olhar a pilha e então prosseguiu em completo silêncio. Eu não estava prestando atenção especial ao que você fazia, porém, a observação vem se tornando para mim, nos últimos anos, uma espécie de necessidade, como se fosse uma segunda natureza. Bem, você continuou com os olhos fincados no chão, olhando, com uma expressão aborrecida, para os buracos e valas do pavimento (foi assim que eu percebi que ainda estava pensando nas pedras), até que chegamos àquela viela chamada Lamartine, que foi pavimentada, como uma experiência, com aqueles blocos que se sobrepõem e são rebitados uns aos outros. Nesse instante, seu rosto se iluminou; e percebendo um certo movimento em seus lábios, não pude duvidar de que tenha pronunciado a palavra "estereotomia", um termo que estão aplicando frequentemente a essa espécie de pavimento. Nesse mesmo momento, eu soube que você não poderia ter dito a si próprio "estereotomia"[41], sem ser levado a pensar em "atomia"[42] e, assim, nas teorias de Epicuro. Uma vez que, ao discutirmos esse assunto há relativamente pouco tempo, eu mencionei que de forma singular, embora não estivesse despertando muita atenção, as adivinhações vagas daquele nobre grego estavam sendo agora confirmadas pela recente cosmogonia nebular, proposta pelo Dr. Nichols, senti que você não poderia evitar de erguer os olhos para a grande nebulosa de Órion, e fiquei esperando que você fizesse isso.

"De fato, você olhou; e agora eu tinha plena certeza de que tinha seguido corretamente seus passos. Porém, naquela amarga crítica feita a Chantilly, que apareceu no Musée de ontem, o satirista fez algumas alusões desgraciosas à mudança de nome do sapateiro, depois que colocou os coturnos de um ator de tragédias e citou um verso em latim sobre o qual conversamos com frequência. Refiro-me à linha: *Perdidit anliquum littera prima sonum* (As antigas letras perderam seu primeiro som.) Eu já lhe havia dito que esta citação referia-se a Órion, porque antigamente era escrito Úrion; devido à questão que debatemos em torno desta explicação, tinha certeza de que você não poderia tê-la esquecido. Estava claro, portanto, que você não poderia deixar de combinar as ideias de Órion e Chantilly. E você realmente as combinou, eu percebi pelo sorriso que passou por seus lábios. Você estava pensando na imolação do pobre sapateiro. Até aquele momento, você estava andando meio cabisbaixo; mas, nesse momento, esticou-se de modo a mostrar sua plena estatura. Tive, então, a certeza de que estava refletindo sobre a figura minúscula de Chantilly. Foi nesse ponto que interrompi suas meditações para observar que, de fato, ele era um sujeito muito pequeno, quero dizer, Chantilly – e que ele teria muito mais sucesso no *Théâtre des Variétés*.

Pouco tempo depois dessa observação do meu amigo, estávamos olhando uma edição vespertina da *Gazette des Tribunaux*, quando os seguintes parágrafos atraíram nossa atenção:

---

41 Técnica em que se divide cientificamente os materiais de uma construção. (N. do R.)
42 Relativo a átomo. (N. do R.)

"Duplo assassinato

Esta madrugada, por volta das três horas da manhã, os habitantes do Quartier St. Roch foram acordados do sono por uma sucessão de gritos terríveis que partiam, aparentemente, do quarto andar de uma casa na rua Morgue, onde as únicas moradoras conhecidas eram uma certa Madame L'Espanaye e sua filha, Mademoiselle Camille L'Espanaye. Depois de algum atraso, ocasionado pela tentativa infrutífera de conseguir entrar da maneira usual, o portão de entrada foi rebentado com um pé-de-cabra e oito ou dez dos vizinhos entraram, acompanhados por dois policiais. A essa altura, os gritos já haviam cessado; porém, enquanto o grupo corria pelo primeiro lance de escadas, duas ou mais vozes grosseiras, aparentemente discutindo furiosamente, pareceram sair da parte superior da casa. Quando o grupo chegou ao segundo andar, também estes sons haviam cessado e tudo permanecia em perfeito silêncio. As pessoas se espalharam e correram de cômodo em cômodo. Ao chegarem a um amplo quarto na parte dos fundos do quarto andar (cuja porta foi forçada porque estava trancada com a chave do lado de dentro), apresentou um espetáculo que encheu a todos os presentes não tanto de horror quanto de surpresa.

O apartamento estava na mais completa desordem — o mobiliário quebrado e os pedaços jogados em todas as direções. Quase no centro do quarto havia um estrado de cama, mas o colchão foi tirado de cima dele e jogado no meio do assoalho do aposento. Sobre uma cadeira, havia uma navalha manchada de sangue. Na lareira havia duas ou três mechas longas e espessas de cabelo humano grisalho, também cobertas de sangue, que pareciam ter sido arrancadas pela raiz. Em diversos locais do assoalho foram encontrados quatro napoleões, um brinco de topázio, três colheres grandes de prata, três colheres menores de *métal d'Alger*[43] e duas bolsas, contendo quase quatro mil francos em ouro. As gavetas de uma cômoda, ainda colocada em um dos cantos da sala, estavam abertas e tinham sido, aparentemente, revistadas, embora muitos artigos de vestuário ainda permanecessem dentro delas. Um pequeno cofre de ferro foi descoberto no chão, embaixo da cama (não embaixo do estrado), no lugar onde esta tinha sido atirada. Estava aberto, com a

---

43 Liga metálica de chumbo, estanho e antimônio que imita a prata. (N. do R.)

chave ainda na porta. Continha apenas algumas cartas velhas e outros papéis de pouca importância.

Não foi encontrado sinal de Madame L'Espanaye; mas tendo sido observada uma quantidade de fuligem na lareira, a chaminé foi vasculhada, e o cadáver da filha (coisa horrível de se relatar!), de cabeça para baixo, foi puxado dali. Tinha sido empurrado para cima, através da abertura estreita da chaminé, por uma distância considerável. O corpo ainda estava bastante quente. Quando foi examinado, encontraram muitas escoriações, sem dúvida ocasionadas pela violência com que foi empurrado chaminé acima e pelo esforço necessário para retirá-lo. No rosto, foram achados muitos arranhões fundos, e no pescoço, hematomas escuros, com sinais profundos de unhas, indicando que a defunta havia sido estrangulada.

Após uma investigação completa de cada parte da casa, sem novas descobertas, o grupo entrou em um pequeno pátio calçado, que fica na parte de trás do edifício, onde jazia o corpo da velha senhora, com a garganta cortada a tal ponto que, ao tentarem erguer o cadáver, a cabeça caiu no chão. Tanto o corpo como a cabeça estavam terrivelmente mutilados; o primeiro a um ponto que mal retinha qualquer semelhança com um corpo humano.

Para este horrível mistério não existe ainda, segundo acreditamos, a menor pista."

O jornal do dia seguinte trazia os seguintes detalhes adicionais:

"*A tragédia da rua Morgue — Muitos indivíduos foram interrogados em relação a este caso tão extraordinário e assustador, mas ainda nada que pudesse lançar alguma luz sobre ele foi revelado. Transcrevemos abaixo todos os testemunhos obtidos.*

Pauline Dubourg, lavadeira, depôs que conheceu ambas as falecidas há três anos, período em que lavou suas roupas. A velha senhora e sua filha pareciam manter muito boas relações e serem muito afeiçoadas uma à outra. Pagavam com regularidade. Não podia dizer qual era sua renda ou meio de sustento. Achava que Madame L'Espanaye ganhava a vida como cartomante. Segundo diziam, tinha dinheiro guardado. Nunca encontrou qualquer pessoa de fora quando ia buscar as roupas para lavar ou as trazia de volta à casa. Tinha certeza de que não tinham empregadas. Parece que não havia mobília em qualquer parte do edifício, exceto no quarto andar.

Pierre Moreau, vendedor de cigarros e de fumo, depõe que habitualmente vendia pequenas quantidades de tabaco e de rapé à Madame L'Espanaye e que a atendia há uns quatro anos. Tinha nascido no bairro e sempre residira por lá. A falecida e sua filha moravam há mais de seis anos na casa em que os cadáveres tinham sido encontrados. Anteriormente, fora ocupada por um joalheiro, que sublocava os andares superiores para várias pessoas. A casa era de propriedade de Madame L'Espanaye. Ela ficou descontente com a maneira como o imóvel era maltratado pelo seu inquilino e mudou-se para lá, recusando-se a alugar quaisquer aposentos. A velha senhora tinha um comportamento meio infantil. A testemunha tinha avistado a filha umas cinco ou seis vezes no decorrer daqueles seis anos. As duas viviam uma vida muito retraída — o povo dizia que tinham dinheiro. Também tinha ouvido alguns dos vizinhos comentarem que Madame L'Espanaye lia o futuro das pessoas — mas não acreditava nisso. Mesmo porque nunca tinha visto ninguém entrar na casa, exceto a velha senhora e sua filha, um carregador uma vez ou duas e um médico, umas oito ou dez vezes.

Muitas outras pessoas, na maioria vizinhos, apresentaram evidências no mesmo sentido. Não se falou de ninguém que frequentasse a casa. Não se sabia se Madame L'Espanaye e sua filha tinham parentes vivos. As venezianas das janelas da frente raramente eram abertas. As venezianas dos fundos permaneciam sempre fechadas, com exceção daquelas de uma grande sala do quarto andar. A casa era boa e sólida — não era muito antiga.

Isidore Musèt, policial, depõe que foi chamado à casa por volta das três da manhã e encontrou umas vinte ou trinta pessoas diante do portão, esforçando-se para entrar. Finalmente forçou a porta com uma baioneta — não foi com um pé-de-cabra. Teve pouca dificuldade para abrir, porque era um portão de duas partes e não estava trancado nem em cima nem embaixo. Os gritos continuavam enquanto o portão estava sendo arrombado – mas cessaram subitamente. Pareciam os gritos de uma pessoa (ou pessoas) em grande agonia — eram altos e prolongados, não eram curtos e rápidos. A testemunha subiu as escadas à frente de todos. Quando chegou ao primeiro andar, escutou duas vozes discutindo alta e furiosamente, uma das vozes era rouca e zangada, a outra muito mais aguda, uma voz muito estranha. Conseguiu distinguir algumas das palavras emitidas pela primeira voz, que era de um francês. Tinha certeza de que não era uma voz de mulher. Tinha distinguido as palavras sacré e diable. A voz mais aguda era de um estrangeiro. Não tinha certeza se era uma voz de homem ou de mulher. Não havia entendido nada do que dissera, mas acreditava que falava em espanhol. O estado do apartamento e dos corpos foi descrito pela testemunha conforme relatamos ontem.

Henri Duval, um vizinho, fabricante de objetos de prata, depõe que participava do primeiro grupo que entrou na casa. Em geral, corrobora o testemunho de Musèt. Logo depois que forçaram a porta, fecharam-na por dentro, para impedir a entrada da multidão, que se reuniu muito depressa, não obstante o adiantado da hora. A voz aguda, segundo pensa esta testemunha, era de um italiano. Tem certeza de que não era de um francês. Não tinha certeza se era voz de homem. Poderia ser de mulher. A testemunha não sabia falar a língua italiana. Não pôde distinguir as palavras, mas pela entonação estava convencida de que a pessoa falava em italiano. Conhecera Madame L'Espanaye e sua filha. Tinha conversado muitas vezes com ambas. Tinha certeza de que a voz aguda não pertencia a nenhuma das falecidas.

*** Odenheimer, proprietário de um restaurante. Ele apresentou-se voluntariamente para testemunhar. Como não falava francês, foi ouvido por meio de um intérprete. É nascida em Amsterdã. Estava passando pela casa na ocasião dos gritos. Duraram por vários minutos — provavelmente dez. Eram longos e altos, muito terríveis e apavorantes. Foi uma das testemunhas que entraram no edifício. Corroborou a evidência prévia em todos os aspectos, exceto um. Tem certeza de que a voz mais aguda era de um homem e que este era francês. Não conseguiu entender as palavras proferidas. Eram altas e rápidas, desiguais, emitidas aparentemente tanto com medo quanto com raiva. A voz era áspera, muito mais áspera do que aguda. Não poderia realmente classificá-la como aguda. A voz mais grossa disse repetidamente sacré, diable e, uma única vez, mon Dieu.

Jules Mignaud, banqueiro, da firma Mignaud et Fils, sediada na rua Deloraine. É o sócio mais velho da firma. Madame L'Espanaye tinha algumas propriedades. Tinha aberto uma conta em sua casa bancária na primavera do ano de *** (oito anos antes). Fazia frequentes depósitos de pequenas somas. Nunca havia sacado nada até o terceiro dia antes de sua morte, quando retirou pessoalmente a soma de 4.000 francos. Essa soma foi paga em moedas de ouro e um funcionário a acompanhou até em casa com o dinheiro.

Adolphe Le Bon, contador da firma Mignaud et Fils, depõe que, no dia em questão, por volta do meio-dia, acompanhou Madame L'Espanaye até sua residência com os 4.000 francos guardados em duas bolsas. Assim que a porta foi aberta, Mademoiselle L'Espanaye apareceu e tomou de suas mãos uma das bolsas, enquanto a velha senhora segurava a outra. Ele, então, cumprimentou-as com uma mesura e saiu. Não viu nenhuma pessoa na rua nessa ocasião. É uma rua lateral, solitária e muito pouco trafegada.

William Bird, alfaiate, depõe que era uma das pessoas que entraram na casa. É de nacionalidade inglesa. Mora em Paris há dois anos. Foi um dos primeiros a subir as escadas. Escutou as vozes em discussão. A voz grave e zangada era de um francês. Entendeu várias palavras, mas não lembra mais de todas. Escutou distintamente sacré e mon Dieu. Por um momento, escutou um som que parecia o de várias pessoas lutando, como se o chão estivesse sendo arranhado e pisoteado. A voz aguda era muito alta, bem mais alta que a voz grave. Tem certeza de que não era a voz de um inglês. Parecia mais ser a voz de um alemão. Poderia ser uma voz de mulher. A testemunha não fala alemão.

Quatro das testemunhas acima, tendo sido reconvocadas, depuseram que a porta do quarto em que foi encontrado o corpo de Mademoiselle L'Espanaye estava trancada por dentro quando o grupo chegou até lá. Tudo se encontrava em perfeito silêncio – não havia gemidos, nem ruídos de qualquer tipo. Ao forçarem a porta, não viram ninguém. As janelas, tanto da sala da frente como do quarto dos fundos, estavam com as venezianas fechadas e firmemente trancadas por dentro. Uma porta entre os dois cômodos estava fechada, porém, não trancada. A porta que dava da sala da frente para o corredor de acesso estava trancada, com a chave do lado de dentro. Um pequeno cômodo na parte da frente da casa, no quarto andar e junto às escadas, estava aberto, com a porta escancarada. Esse cômodo estava lotado de camas velhas, caixas e coisas assim. Todos os objetos foram cuidadosamente removidos e examinados. Não houve um centímetro em qualquer lugar da casa que não fosse objeto de uma pesquisa cuidadosa. Limpa-chaminés foram utilizados para limpar as chaminés. A casa tinha quatro andares, com sótão. Um alçapão no forro tinha sido pregado com toda a segurança; não dava a impressão de ter sido aberto durante anos. O tempo decorrido entre o som das vozes discutindo e o arrombamento da porta da sala foi declarado de diferentes maneiras pelas testemunhas.

Algumas pessoas afirmaram que se passaram uns três minutos, outros chegaram a cinco. A porta foi aberta com muita dificuldade.

Alfonzo Garcio, agente funerário, depõe que reside na rua Morgue. É de naturalidade espanhola. Pertencia ao grupo que entrou na casa. Mas não subiu acima pelas escadas. É um homem nervoso e estava apreensivo com relação às possíveis consequências da agitação. Escutou as vozes discutindo. A voz mais grave era de alguém falando em francês. Não pôde compreender o que estava sendo dito. A voz aguda pertencia a alguém falando em inglês. Neste ponto, tem certeza absoluta. Não fala o idioma inglês, mas julga pela entonação.

Alberto Montani, confeiteiro, depõe que se achava entre os primeiros que subiram as escadas. Escutou as vozes mencionadas. A voz grave e violenta falava em francês. Conseguiu perceber diversas palavras. A pessoa que falava parecia estar repreendendo. Não conseguiu entender as palavras proferidas pela voz aguda. Falava rápido e de maneira confusa. Mas acha que as palavras eram em russo. Corrobora o testemunho geral. É italiano. Nunca conversou com um natural da Rússia.

Diversas testemunhas, ao serem reconvocadas, testemunharam que as chaminés de todas as peças do quarto andar eram estreitas demais para admitir a passagem de um ser humano. Por "limpa-chaminés" queriam dizer escovas cilíndricas de limpeza, do tipo que são usadas por aqueles que limpam chaminés para retirar o acúmulo de fuligem. Estes escovões foram passados para cima e para baixo de cada saída de lareira e de cada cano de ventilação existente na casa. Não existe uma porta dos fundos pela qual alguém pudesse ter descido enquanto os salvadores subiam as escadas. O corpo de Mademoiselle L'Espanaye estava tão firmemente entalado na chaminé que não pôde ser descido até que cinco ou seis pessoas unissem suas forças para puxá-lo.

Paul Dumas, médico, depõe que foi chamado para examinar os corpos mais ou menos ao raiar do sol. Nessa ocasião, ambos estavam deitados sobre a cobertura de estopa do estrado da cama, no mesmo quarto em que Mademoiselle L'Espanaye fora encontrada. O cadáver da jovem estava muito machucado e arranhado. O fato de ter sido empurrado chaminé acima poderia perfeitamente causar essa aparência. A garganta estava muito ferida. Havia diversos arranhões profundos logo abaixo do queixo, juntamente a uma série de marcas lívidas que eram, evidentemente, impressões *deixadas por dedos. O rosto estava arroxeado de uma forma apavorante e os olhos saltavam das órbitas. A língua tinha sido parcialmente mordida. Um grande hematoma foi descoberto sobre o estômago, produzido, aparentemente, pela pressão de um joelho. Na opinião de M. Dumas, Mademoiselle L'Espanaye tinha sido estrangulada até a morte por uma pessoa, ou pessoas desconhecidas. O cadáver da mãe estava horrivelmente mutilado. Todos os ossos da perna e do braço direitos estavam meio esmagados. A tíbia esquerda tinha sido partida em mais de um lugar, assim como todas as costelas do lado esquerdo. O corpo inteiro estava terrivelmente marcado e arroxeado. Não era possível afirmar como os ferimentos haviam sido causados. Um porrete pesado de madeira ou uma barra larga de ferro, uma cadeira, qualquer arma grande, pesada e contundente teria produzido tais resultados, se fosse brandida pelas mãos de um homem muito robusto. Nenhuma mulher poderia ter desferido aquele tipo de golpe com qualquer arma. A cabeça da falecida, quando foi vista pela testemunha, estava inteiramente separada do corpo e os ossos também se achavam em grande parte esmagados. A garganta havia sido evidentemente cortada com algum instrumento muito afiado – provavelmente uma navalha.*

Alexandre Etienne, cirurgião, foi convocado com M. Dumas para examinar os corpos. Corroborou o testemunho e as opiniões de M. Dumas.

Nada de maior importância foi descoberto, embora diversas outras pessoas fossem interrogadas. Um assassinato tão misterioso e intrigante em todos os seus detalhes jamais foi cometido antes em Paris, se é que realmente houve um assassinato. A polícia está completamente confusa, uma ocorrência pouco comum em casos dessa natureza. Não há, entretanto, a sombra de uma pista."

A edição vespertina do jornal declarava que a maior excitação ainda perdurava no Quartier St. Roch, que os aposentos do prédio tinham sido novamente examinados e novos exames das testemunhas realizados, tudo sem o menor resultado. Um pós-escrito, entretanto, mencionava que Adolphe Le Bon tinha sido preso e encarcerado, embora nada parecesse incriminá-lo, além dos fatos que já foram detalhados.

Dupin pareceu-me particularmente interessado no progresso das investigações, ou pelo menos foi o que julguei a partir de suas ações, porque não fez o menor comentário. Foi somente depois que a prisão de Le Bon foi anunciada que ele pediu minha opinião sobre os assassinatos.

Eu somente podia concordar com toda Paris ao considerá-los um mistério insolúvel. Não via maneira através da qual fosse possível identificar o assassino.

— Não podemos julgar os meios — disse Dupin — a partir de um exame tão superficial. A polícia parisiense, que é tão exaltada por sua astúcia, é esperta, mas nada mais do que isso. Não existe método em seus procedimentos, além do método sugerido pela inspiração do momento. Desfilam uma série de medidas tomadas a fim de satisfazer o público. Mas muitas vezes estão mal-adaptadas ao objetivo proposto. Os resultados que eles obtêm não deixam de surpreender com uma certa frequência, mas na maior parte são obtidos por simples diligência e grande atividade. Quando faltam estas atividades, seus esquemas falham. Vidocq[44], por exemplo, além de saber adivinhar, era um homem perseverante. Porém, desprovido de um pensamento instruído, ele errava continuamente pela própria intensidade de suas investigações. Prejudicava a própria visão por segurar os objetos perto demais. Podia ver assim, quem sabe, um ou dois pontos com clareza extraordinária, mas seu procedimento o levava necessariamente a perder a visão do conjunto. Porque existe uma coisa que podemos chamar de excesso de profundidade. A verdade não se encontra sempre no fundo de um poço. De fato, no que se refere aos conhecimentos mais importantes, acredito que seja invariavelmente superficial. A profundidade acha-se nos vales em que a buscamos e não no topo das montanhas, onde a verdade é encontrada. Os modos e as fontes desse tipo de erro são bem exemplificados pela contemplação dos corpos celestiais. Olhar uma estrela de relance, observá-la pelo canto dos olhos, voltando para ela as porções laterais da retina (mais suscetível às fracas sensações luminosas que a parte central) significa percebê-la distintamente — é assim que apreciamos melhor o seu brilho —, um brilho que vai se enfraquecendo na proporção em que voltamos a visão diretamente sobre ele. De fato, um número maior de raios cai sobre o olho nesse último caso, porém, no anterior, existe a capacidade de compreensão mais refinada. Uma profundidade exagerada enfraquece o pensamento e torna-o inseguro; e é possível fazer desaparecer do firmamento o próprio Vênus devido a uma atenção excessivamente mantida, concentrada e direta.

---

44 Eugène-François Vidocq (24 de julho de 1775 - 11 de maio de 1857) foi um criminoso e criminalista francês que inspirou diversos escritores. (N. do R.)

"Quanto a este assassinato, vamos fazer uma análise antes de formar uma opinião. Uma investigação nos trará uma distração — achei essa palavra estranha aplicada ao caso em questão, mas não digo nada —; e, além disso, Lebon prestou-me um serviço e não posso mostrar-me ingrato. Iremos aos lugares, para examinar com os nossos próprios olhos. Eu conheço G..., o chefe de polícia, e poderemos conseguir, sem dificuldade, a necessária autorização."

Com isso, fomos direto à rua Morgue. É uma dessas miseráveis passagens que ligam a rua Richelieu à rua Saint-Roch. Fomos na parte da tarde, e chegamos em um horário bem tarde, porque este bairro está situado a uma grande distância de onde residimos.

Encontramos logo a casa, porque havia uma imensidade de pessoas que a contemplavam do outro lado da rua, com uma curiosidade doentia. Era uma casa como todas as de Paris, com um portal largo, e num dos lados um nicho quadrado, envidraçado, com uma armação móvel que representa a cabine do porteiro.

Antes de entrarmos, subimos a rua, viramos numa alameda e passamos pela parte de trás da casa. Dupin, entretanto, examinava os arredores, bem como a própria casa, com uma minuciosa atenção cujo objetivo eu não podia adivinhar.

Voltamos para a frente; tocamos a campainha, apresentamos a nossa identidade e os policias permitiram a entrada. Subimos até o quarto onde tinham encontrado o corpo da menina L'Espanaye e onde permaneciam ainda os dois cadáveres. A desordem do quarto tinha sido respeitada como é costume fazer-se em semelhantes casos. Não vi nada mais do que tinha constado na *Gazette des Tribunaux*. Dupin analisou tudo minuciosamente, sem excetuar os corpos das vítimas.

Entramos em seguida nos outros quartos e descemos para os pátios, sempre acompanhados por um policial.

Esta análise durou muito tempo e era noite quando nos retiramos. Ao regressar à nossa casa, o meu amigo parou por alguns instantes no escritório de um jornal. Disse que o meu amigo tinha todas as espécies de excentricidades e que eu as respeitava. Desta vez deu para se recusar a qualquer conversa referente ao assassinato, até o meio-dia do dia seguinte.

Foi então que ele me perguntou bruscamente se eu tinha notado alguma coisa de "particular" no local do crime. Ele deu uma entonação especial ao pronunciar essa palavra, o que me fez arrepiar sem que eu soubesse por quê.

— Não, nada de particular — respondi. — Nada mais, pelo menos, do que ambos lemos no jornal.

— A Gazette — prosseguiu — não penetrou no horror insólito deste caso. Mas deixemos por aqui as opiniões idiotas desse jornal. Parece-me que o mistério é considerado como insolúvel, pela mesma razão que deveria fazê-lo encarar como de fácil solução, e quero falar do caráter excessivo sob o qual ele aparece. A polícia está confusa também pela ausência aparente de motivos legitimando não o assassinato em si, mas a atrocidade do assassino. Estão consternados, também, pela impossibilidade aparente em conciliar as vozes que discutiam com o fato de não encontrar no alto da escada outra pessoa senão a menina L'Espanaye, assassinada, e que não tinha nenhuma forma de sair sem ser vista pelas pessoas que subiam a escada. A estranha desordem do quarto, o corpo introduzido com a cabeça para baixo na chaminé, a medonha mutilação do corpo da senhora idosa — estas considerações juntas às que mencionei e às outras das quais não tenho necessidade de falar, bastam para paralisar a ação dos agentes do ministério e para derrotar completamente a sua perspicácia tão elogiada. Eles cometeram o grande e muito comum erro de confundir o extraordinário com o absurdo. Mas é justamente ao seguir esses desvios do curso vulgar da natureza que a razão encontrará o seu caminho, se a coisa é possível e se está encaminhada para a verdade. Nas investigações do gênero que nos preocupa não é preciso perguntar como as coisas se passaram, mas sim estudar por que é que elas se distinguem de tudo o que aconteceu até o presente. A faculdade pela qual chegarei à solução do mistério está na razão direta da sua insolubilidade aparente aos olhos da polícia.

Fixei Dupin com um espanto mudo.

— Espero, agora — continuou ele, dirigindo os olhos para a porta do nosso quarto —, um indivíduo, que, se bem que não seja talvez o autor desta carnificina, deve encontrar-se em parte implicado na sua perpetração. É provável que seja inocente da parte atroz do crime. Espero não me enganar nesta hipótese, porque é baseado nela que espero decifrar todo o enigma. Procuro aqui o homem — neste quarto — a todo momento. É verdade que pode muito bem não vir, mas há algumas possibilidades de que venha. Se vier, será necessário vigiá-lo. Estão aqui as pistolas e ambos sabemos para que elas servem quando a ocasião se faz necessária.

Peguei as pistolas sem saber muito bem o que fazia, mal podendo acreditar no que ouvia, enquanto Dupin continuava mais ou menos num monólogo. Já falei da sua maneira abstrata nesses momentos. O seu discurso dirigia-se a mim; mas a sua voz, se bem que regulada por um diapasão muito vulgar, tinha essa entoação que se dá habilmente ao falar a alguém colocado a uma grande distância. Os seus olhos tinham uma expressão vaga, não deixavam de fixar a parede.

— As vozes que discutiam — dizia ele —, as que se ouviam quando as pessoas subiam a escada, não eram as dessas infelizes mulheres. Isso é uma prova bem evidente. Isso nos leva a abandonar a hipótese de que a senhora de idade teria assassinado a filha e teria se matado em seguida. Não falo do caso senão por amor ao método, porque a força da senhora L'Espanaye era certamente insuficiente para introduzir o corpo da filha na chaminé, da maneira como a encontraram; e a natureza dos ferimentos na sua própria pessoa exclui por completo a ideia de suicídio. Portanto, o assassinato foi cometido por terceiros, e as vozes deles eram as que se ouviram a questionar — disse ele. — Permita-me agora chamar a sua atenção — não para os depoimentos relativos a essas vozes — mas sobre o que havia de "particular" nestas – observou.

E meu amigo continuou:

— Reparei que, enquanto todas as testemunhas concordavam em considerar a voz grossa como sendo a de um francês, havia um grande desacordo em relação à voz aguda, ou, como definira um só indivíduo, à voz áspera. Isso constitui a evidência — disse Dupin — mas não a particularidade da evidência. Não se reparou em nada de especial; no entanto, havia "qualquer coisa" para observar. As testemunhas, repare bem, estão de acordo sobre a voz grossa, são unânimes nisso. Mas, em relação à voz aguda, há uma particularidade — que não consiste no seu desacordo — mas nisto, uma vez que um italiano, um inglês, um espanhol e um holandês, tentam descrevê-la; cada um fala de uma voz de "estrangeiro", cada um está seguro de que não era a de um compatriota. Cada um a compara, não com a voz de um indivíduo cujo idioma lhe seria familiar, mas justamente o contrário. O francês presume que era a voz de um espanhol e poderia distinguir algumas palavras se ele estivesse familiarizado com o espanhol. O holandês afirma que era a voz de um francês; mas está estabelecido que a testemunha, não sabendo o francês, foi interrogada por meio de um intérprete. O inglês pensa que era a voz de um alemão, e ele não compreende o alemão. O espanhol está absolutamente certo de que era a voz de um inglês, mas julga apenas pela pronúncia, porque não tem nenhum conhecimento de inglês. O italiano crê que é a voz de um russo, mas nunca conversou com uma pessoa da Rússia — lembrou Dupin. — Um outro francês, no entanto, difere do primeiro e está certo de que era a voz de um italiano; mas não tendo conhecimento desta língua, faz como o espanhol, certifica-se pela pronúncia. Ora, esta voz era, portanto, bem insólita e bem estranha, para que não se possa, a seu respeito, ter testemunhos semelhantes? Uma voz cuja entonação alguns cidadãos de cinco partes da Europa não puderam identificar. Poderia ser talvez a voz de um asiático ou de um africano. Os africanos e os asiáticos não abundam em Paris; mas, sem negar a possibilidade do caso, chamaria simplesmente a sua atenção sobre três pontos — observou ainda.

— Uma testemunha descreve a voz assim: "Mais áspera do que aguda." Duas outras falam como de uma voz "rápida e sacudida". Estas testemunhas não distinguem nenhuma palavra — nenhum som que se pareça com palavras.

— Não sei — continuou Dupin — que impressão possa fazer sobre o seu raciocínio, mas não hesito em afirmar que se podem tirar deduções legítimas em relação às duas vozes. A voz grossa e a voz aguda são suficientes em si para levantar uma dúvida que indicaria o caminho em toda esta investigação ulterior do mistério.

"Eu disse: 'deduções legítimas', mas esta expressão não exprime completamente o meu pensamento. Eu queria que compreendesse que estas deduções são as únicas convenientes e que esta dúvida surgiu inevitavelmente disso como o único resultado possível. No entanto, não lhe direi imediatamente de que natureza era essa dúvida. Desejava simplesmente demonstrar que essa dúvida era mais que suficiente para dar um caráter decisivo, uma tendência positiva na investigação que queria fazer no quarto".

Ele prosseguiu:

— Agora transportemo-nos em imaginação a esse quarto. Qual será o primeiro objeto da nossa investigação? Os meios de evasão empregados pelos assassinos. Podemos afirmar — não é assim? — que não acreditamos em acontecimentos sobrenaturais? As senhoras L'Espanaye não foram mortas pelos espíritos. Os autores do crime eram seres materiais e fugiram materialmente.

"Ora, como? Felizmente, não há senão uma maneira de raciocinar sobre esse ponto, e é essa maneira que nos conduzirá a uma conclusão positiva. Examinemos, portanto, um a um os meios possíveis de evasão. É evidente que os assassinos estavam no quarto onde se encontrava a jovem L'Espanaye ou, pelo menos, no quarto contíguo quando as pessoas subiram as escadas. Portanto, é apenas nesses dois quartos que vamos procurar a saída. A polícia levantou o assoalho, abriu os tetos, sondou a alvenaria das paredes. Nenhuma saída secreta pôde escapar à sua perspicácia. Mas não acredito nos olhos deles e examino-os com os meus: não há ali nenhuma saída secreta. As duas portas que dão para o corredor estavam solidamente fechadas e as chaves por dentro — comentou o meu amigo, que continuou: — Vejamos as chaminés. Estas, que são de uma largura vulgar até uma distância de dois a três metros acima da lareira, não dariam suficiente passagem a um gato gordo.

"A impossibilidade de fuga, pelo menos pelas vias acima indicadas, estava, pois, absolutamente estabelecida, reduzida somente às janelas. Ninguém poderia fugir pelas do quarto da frente sem ser visto pelas pessoas que estavam lá fora. Seria preciso, portanto, que os criminosos escapassem pelas janelas do quarto dos fundos." concluiu ele.

— Agora, conduzidos como somos a esta conclusão por deduções também irrefutáveis, não temos o direito, como seres pensantes, de rejeitá-la por causa da sua aparente impossibilidade. Apenas nos resta demonstrar que esta impossibilidade aparente não existe na realidade. Há duas janelas no quarto. Uma delas não está obstruída pelos móveis, encontra-se inteiramente livre — observou.

E meu amigo prosseguiu com suas explicações:

— A parte inferior da outra está escondida pela cabeceira da cama, que é muito maciça e que está completamente encostada. A primeira está solidamente presa por dentro. Ela resistiu aos esforços mais violentos daqueles que tentaram levantá-la. Fizeram um grande buraco com uma broca no caixilho e acharam um prego enorme enterrado quase até a cabeça. Ao examinar a outra janela, encontraram cravado um outro prego semelhante. A polícia ficou desde então plenamente convencida de que nenhuma fuga tinha sido efetuada por essa forma. Foi, portanto, considerado como supérfluo retirar os pregos e abrir as janelas.

"O meu exame foi um pouco mais minucioso, e isso pela razão que lhe dei há pouco. Acontece que eu já sabia ser necessário demonstrar que a impossibilidade não era apenas aparente.

"Continuei a raciocinar assim... Os assassinos tinham se evadido por uma das janelas. Sendo assim, eles não podiam ter pregado os caixilhos por dentro, como os encontraram, consideração que, pela sua evidência, limitou as investigações da polícia nesse sentido. No entanto, estes caixilhos estavam bem fechados. Era preciso fechar-se por si mesmos. Não havia forma de escapar a essa conclusão. Dirigi-me para a janela que não estava pregada, tirei o prego com alguma dificuldade, e tentei levantar o caixilho. Resistiu a todos os meus esforços, tal como eu já esperava. Havia, portanto, uma mola escondida. Empurrei-a e, satisfeito com a minha descoberta, abstive-me de levantar o caixilho.

"Tornei a colocar o prego no lugar e examinei-o atentamente. Uma pessoa, ao passar pela janela, podia tê-la fechado e a mola teria feito a sua obrigação. Mas o prego não teria sido novamente colocado. Esta conclusão era clara e limitava ainda o campo das minhas investigações. Era preciso que os assassinos tivessem fugido pela outra janela. Supondo, pois, que as molas dos dois caixilhos fossem semelhantes, como era provável, era preciso, no entanto, encontrar uma diferença nos pregos, ou pelo menos na maneira como eles tinham sido fixados.

"Subi no estrado da cama e observei minuciosamente a outra janela por cima da cabeceira. Passei a mão por detrás, descobri facilmente a mola e a fiz funcionar. Como eu imaginara, era idêntica à primeira. Então examinei o prego. Era tão grosso como o outro e fixado da mesma maneira, enterrado quase até a cabeça."

E ele continuou com suas observações:

— Dirá que eu estava confuso; mas se teve semelhante pensamento, é porque desprezou a natureza das minhas intenções. Para empregar um termo de jogo, não tinha cometido uma única falta; não perdera a pista um só instante, não havia uma lacuna no elo da cadeia. Seguira o segredo até à sua última fase e ela era o prego. Assemelhava-se, disse eu, em todos os aspetos com o que havia na outra janela, mas esse fato, por pouco concludente que fosse na aparência, tornava-se absolutamente nulo em face desta consideração dominante ao verificar que nesse prego terminava o fio condutor. É preciso, disse eu, que haja nesse prego qualquer coisa defeituosa. Toquei-lhe, e a cabeça, com um pedaço do prego, talvez um quarto de polegar, ficou nos meus dedos. O resto dele ficou no buraco onde se partira. Esta fissura era bastante antiga, porque os bordos estavam cheios de ferrugem e ele partira-se com uma pancada do martelo que tinha enterrado em parte a cabeça do prego no fundo do caixilho. Reajustei cuidadosamente a cabeça com a parte que o compunha, e parecendo depois um prego intacto, a fenda passava despercebida. Apoiei na mola, levantei suavemente a janela algumas polegadas; a cabeça do prego veio agarrada a ela sem sair do buraco. Tornei a fechar a janela e o prego parecia novamente completo. Até aqui o enigma estava desvendado. O assassino fugira pela janela rente à cama. Ainda que ela se tivesse fechado por si depois da fuga ou que ela tivesse sido fechada por mão humana, ela estava presa pela mola, e a polícia atribuíra esta resistência ao prego. Assim, qualquer investigação posterior foi considerada supérflua.

"Agora, perguntava a mim mesmo, como teria fugido o assassino? Nesse ponto, tinha satisfeito o meu espírito na volta dada em redor do prédio. A pouco mais de um metro e meio, em volta da dita janela passa o cabo do para-raios. Por este cabo seria impossível alcançar a janela, e, muito menos, entrar." concluiu.

— Todavia, reparei que as portas da janela do quarto andar eram de um tipo particular, que os marceneiros parisienses chamam *ferrades*[45], tipo de portas muito pouco usadas atualmente, mas que se encontram nas velhas casas de Lião e de Bordéus. Neste caso, as portas da janela são largas, com mais de um metro. Quando nós as examinamos por detrás da casa, elas estavam ambas meio abertas, o que quer dizer que faziam ângulo reto com a parede.

"É de supor que a polícia examinara, como eu, a parte posterior do prédio. Mas ao observar estas *ferrades,* no sentido transversal, não reparou nesta largura, ou pelo menos não deu a importância necessária. Em suma, os agentes fizeram apenas um exame superficial. No entanto, era evidente para mim que a janela situada à cabeceira da cama, que se supunha fixada, encontrava-se a dois pés do cabo do para-raios. Era também

---

45 Um beiral de sacada feito de ferro comum em janelas na França. (N. do R.)

evidente que com uma energia e coragem insólitas, alguém poderia, com a ajuda do cabo, ter pulado a janela. Ao chegar à distância de uns oitenta centímetros, um ladrão teria podido encontrar nas grades um ponto de apoio sólido. Largando o cabo e apoiando os pés contra a parede, poderia pular, cair no quarto e empurrar a porta de forma a fechá-la, se a janela estiver aberta nesse momento." imaginou.

— O meu objetivo é provar, primeiro, que isso se podia praticar, e em segundo lugar, e principalmente, chamar a sua atenção sobre o caráter extraordinário, quase sobrenatural, da agilidade necessária para realizá-lo. Compare esta energia com esta voz aguda (ou áspera), com esta voz irregular, cuja nacionalidade não pode ser definida pelo acordo de duas testemunhas e da qual ninguém compreendeu palavras articuladas.

Ao ouvir isto, uma concepção vaga e primordial do pensamento de Dupin surgiu no meu espírito. Eu me senti no limite da compreensão. Tal como as pessoas que por vezes estão quase lembrando de algo, mas não conseguem. O meu amigo continuou com a sua argumentação:

— Veja — disse-me — que relacionei a pergunta sobre a forma de saída, como sendo a da entrada. O meu plano consistia em demonstrar que elas se efetuaram da mesma forma e no mesmo ponto. Voltemos agora ao interior do quarto. Examinemos todos os pormenores. Disseram que as gavetas da cômoda foram saqueadas e, no entanto, encontraram nelas vários artigos de toalete intatos. Esta conclusão é absurda; é uma simples conjectura insignificante e nada mais. Como poderemos saber se os artigos encontrados nas gavetas não representam tudo o que elas continham? A senhora L'Espanaye e a sua filha levavam uma vida isolada, tinham, portanto, poucas ocasiões para mudar de toalete.

"As que se encontraram eram, pelo menos, de tão boa qualidade como aquelas que possuíam estas senhoras. E se um ladrão tivesse tirado algumas, por que não teria tirado as melhores, por que não tiraria mesmo todas?

E ele resumiu:

— Por que teriam deixado os quatro mil francos de ouro para se apoderarem de um embrulho de roupas? O ouro fora abandonado, a totalidade da soma mencionada pelo banqueiro Mignaud fora encontrada no chão, nos sacos. Quero assim afastar do seu pensamento a ideia absurda de um interesse, ideia engendrada no cérebro da polícia pelos depoimentos que falam do dinheiro entregue mesmo à porta da casa. Coincidências dez vezes mais notáveis do que esta (a entrega do dinheiro e o crime cometido três dias depois), apresentam-se em cada hora da nossa vida sem atrair a nossa atenção, nem sequer um minuto. Em geral, as coincidências são pedras enormes de obstáculos no caminho destes pobres pensadores mal preparados que não sabem a primeira palavra da teoria das probabilidades, teoria à qual os conhecimentos humanos devem as suas mais gloriosas conquistas e as suas mais belas descobertas. No presente caso, se o ouro tivesse desaparecido, o fato de ter sido entregue três dias antes levava a pensar em qualquer coisa mais do que numa coincidência. Isso corroboraria a ideia de interesse. Mas nas circunstâncias reais em que nos encontramos, se supuséssemos que o ouro foi o motivo do assalto, é preciso supor esse criminoso bastante indeciso e suficientemente idiota para esquecer o motivo principal do crime.

"Fixe bem na sua mente os pontos para os quais chamei a sua atenção — essa voz particular, essa agilidade sem igual e esta ausência tão impressionante de interesse num crime tão singularmente atroz como este. Agora, examinemos o absurdo em si mesmo. Eis uma mulher estrangulada, com as mãos, e introduzida numa chaminé, de cabeça para baixo. Criminosos vulgares não empregam semelhantes processos para matar. E muito menos esconderiam os cadáveres das suas vítimas. Nesta maneira de introduzir o corpo na chaminé, admitirá que há aqui qualquer coisa de absolutamente inconciliável com tudo o que nós conhecemos geralmente dos atos humanos, mesmo supondo que os autores fossem os mais pervertidos dos homens", prosseguiu Dupin.

E ele continuou o raciocínio:

— Pense também que força prodigiosa precisou para empurrar esse corpo por uma abertura semelhante, e empurrá-lo tão fortemente que os esforços de várias pessoas foram necessários para dificilmente o retirarem de lá.

"Encaminhemos agora a nossa atenção sobre outros indícios deste vigor excepcional. Na lareira encontraram-se madeixas de cabelos — mas muito espessos, de cabelos grisalhos. Foram arrancados pela raiz. Imagine a força poderosa que é necessária para arrancar da cabeça vinte ou trinta cabelos ao mesmo tempo. Viu as madeixas mencionadas tão bem como eu. As raízes tinham pele agarrada — espetáculo medonho —

prova evidente da prodigiosa força que foi empregada para desenraizar cinco ou seis mil cabelos de uma só vez.

"Não só o pescoço da senhora de idade estava cortado, mas a cabeça completamente separada do corpo: o instrumento fora uma simples navalha de barbear. Peço que repare nesta ferocidade incrível. Não falo das equimoses da senhora L'Espanaye. M. Dumas e o seu digno confrade, M. Étienne, afirmaram que elas tinham sido produzidas por um instrumento contundente, e nisso estes senhores acertaram. O instrumento contundente foi, evidentemente, o pavimento do pátio onde a vítima caiu. Essa ideia, por muito simples que pareça agora, escapou da polícia pela mesma razão que a impediu de reparar na largura das portas das janelas; porque, graças à circunstância dos pregos, a sua percepção era bloqueada pela ideia de que as janelas não se podiam abrir.

"Se você refletiu convenientemente na desordem estranha do quarto, encontramo-nos bastante adiantados para coordenar as ideias: uma **agilidade maravilhosa e uma ferocidade incomum, um morticínio sem motivo, um grotesco horrível, absolutamente estranho à humanidade, e uma voz cuja pronúncia é desconhecida ao ouvido de homens de várias nações – uma voz desprovida de qualquer sílaba distinta e compreensível. Vejamos, que deduz disso? Que impressão lhe desperta na sua imaginação?

Senti um arrepio quando Dupin me fez essa pergunta.

— Um louco — respondi — um maníaco fugido de um manicômio próximo.

— Nada mal — replicou. — O seu raciocínio é quase aplicável. Mas as vozes dos doidos, mesmo nos mais selvagens paroxismos, nunca estão de acordo com o que se diz desta voz singular ouvida da escada. Os doidos pertencem a alguma nação e a sua língua, por muito incoerente que seja em palavras, é sempre coerente na pronúncia. Além de que o cabelo de um doido não se parece com o que eu tenho agora na mão. Retirei este tufo de cabelos dos dedos rígidos e crispados da senhora L'Espanaye. Diga-me, que pensa disso?

— Dupin! — disse completamente transtornado. — Estes cabelos são bem incomuns, não são cabelos humanos!

— Não afirmei que o fossem — disse ainda. — Antes de nos decidirmos sobre esse ponto, desejo que dê uma vista de olhos pelo desenho que tracei neste pedaço de papel. Representa o que certos depoimentos definiram como as equimoses negras e as profundas marcas de unhas encontradas no pescoço da menina L'Espanaye, e que M. Dumas e M. Etienne chamam uma série de manchas lívidas, evidentemente causadas pela pressão dos dedos. Veja — continuou o meu amigo desdobrando o papel na mesa — que este desenho dá a ideia de um punho sólido e firme. Não parecia que os dedos tivessem escorregado. Cada dedo agarrou, talvez até a morte da vítima, a terrível presa que fizera e na qual se fixara. Tente, agora, colocar todos os seus dedos, ao mesmo tempo, cada um na marca análoga que vê.

Tentei, mas inutilmente.

— É possível — disse Dupin — que não façamos esta experiência de uma maneira decisiva. O papel está desdobrado numa superfície plana, e a garganta humana é cilíndrica. Eis um rolo de madeira cuja circunferência é aproximadamente a de um pescoço. Estenda o desenho em volta e repita a experiência.

Obedeci, mas a dificuldade foi ainda mais evidente do que da primeira vez.

— Isto não tem a configuração de uma mão humana — observei.

— Leia agora esta passagem de Cuvier — ordenou Dupin.

Era a história minuciosa, anatômica e descritiva do grande orangotango fulvo das ilhas da Índia Oriental. Todos conhecem suficientemente a gigantesca estatura, a força e a agilidade prodigiosa, a ferocidade selvagem e as faculdades imitativas deste mamífero.

Compreendi imediatamente a horrível violência do crime.

— A descrição dos dedos — disse-lhe quando acabei a leitura — concorda perfeitamente com o desenho. Vejo que nenhum animal — exceto um orangotango, e da espécie mencionada — poderia ter feito marcas tais como as que desenhou. Este molho de pelos castanho-avermelhados é também de um caráter idêntico ao do animal de Cuvier. Mas não me apercebi facilmente dos pormenores deste medonho mistério. Aliás, ouviram duas vozes, e uma delas era incontestavelmente a voz de um francês.

— Sim, lembre-se de uma expressão atribuída quase por unanimidade a esta voz — a expressão "meu Deus!". Estas palavras, nas circunstâncias presentes, foram caracterizadas por uma das testemunhas (Montani, o confeiteiro) como exprimindo uma censura e uma admoestação. Foi relacionada com estas duas palavras que eu baseei as minhas esperanças em decifrar completamente o enigma. Um francês teve conhecimento do crime. É possível — é mesmo mais que possível que esteja inocente de qualquer coparticipação neste sangrento caso. O orangotango pode ter fugido. É possível que tivesse seguido o rasto até ao quarto, mas que, devido às circunstâncias terríveis que se seguiram, ele não pudesse prendê-lo. O animal está ainda à solta. Não prosseguirei nestas conjecturas, não tenho o direito de dar outro nome a estas ideias, pois a sombra de reflexões que lhes servem de base são de uma profundidade dificilmente suficiente para serem apreciadas pelo meu próprio raciocínio, e não pretenderia que fossem apreciadas por uma outra inteligência. Portanto, vamos considerar que são conjecturas. Se o francês em questão está, como suponho, inocente desta atrocidade, este anúncio que entreguei ontem à noite, quando voltávamos a casa, no escritório do jornal *O Mundo* (folha dedicada aos assuntos marítimos e muito procurada pelos marinheiros), há de trazê-lo até nós.

Estendeu um papel, em que estava escrito:

"*AVISO: — Encontrou-se no bosque de Bolonha, na manhã do... do mês atual (era a manhã do assassinato), de madrugada, um enorme orangotango fulvo, da espécie de Bornéu. O proprietário (que se sabe ser um marinheiro que pertence à tripulação de um navio maltês) pode reaver o animal, depois de o identificar satisfatoriamente e de ter reembolsado algumas despesas à pessoa que o apanhou e o guardou. Dirigir-se à rua..., nº... — bairro de Saint-Germain, terceiro andar.*"

— Como pôde saber que o homem era um marinheiro — perguntei--lhe — e pertencia a um navio maltês?

— Não sei — me respondeu — Não estou bem certo. Eis, no entanto, um pedaço de fita que, a julgar pela sua forma e aspecto gorduroso, serviu evidentemente para atar os cabelos num longo rabicho, o que torna os marinheiros tão orgulhosos e tão ridículos. Além disso, este nó é um dos que poucas pessoas sabem fazer, exceto os marinheiros, e em particular os malteses. Apanhei a fita por baixo do cabo do para-raios. É possível que tenha pertencido a uma das duas vítimas. Apesar de tudo, se não me engano ao deduzir que esta fita é de um marinheiro francês que pertence a um navio maltês, não poderei fazer mal a ninguém com o meu anúncio. Se eu estiver enganado, ele pensará simplesmente que cometi um erro, por qualquer circunstância que não se preocupará em investigar. Mas se estiver no bom caminho, há um ponto importante já ganho. O francês que teve conhecimento do assassinato, se bem que esteja inocente, hesitará naturalmente em responder ao anúncio — a reclamar o seu orangotango. Raciocinará assim: "Estou inocente; sou pobre; o meu orangotango vale muito — é quase uma fortuna numa situação como a minha; por que havia de perdê-lo, por causa de um medo estúpido?" Encontraram-no no bosque de Bolonha, a uma grande distância do local do crime. Não vão supor que um animal de tal espécie tenha podido executar o crime. A polícia está despistada — ela não consegue encontrar o mais insignificante indício esclarecedor. Mesmo que estivessem na pista do animal, seria impossível provar que eu tivesse conhecimento do assassinato ou incriminar-me por causa deste conhecimento. Enfim e antes de mais, "eu sou conhecido". O redator do anúncio considerou-me como o proprietário do animal. Mas não sei a que ponto vai a sua certeza; se evito reclamar uma propriedade de um tão grande valor, que é sabido pertencer-me, posso atrair sobre o animal uma dúvida perigosa. Seria da minha parte uma má política chamar a atenção para o animal e a minha pessoa. Responderei devidamente ao anúncio do jornal, terei novamente o meu orangotango e trancarei bem até que o caso esteja esquecido.

Nesse momento, ouvimos passos subirem a escada.

— Prepare-se — ordenou Dupin — e pegue suas armas, mas não se sirva delas nem as mostre sem um sinal meu.

Tinham deixado aberto o portão, e o visitante havia entrado sem bater e subido vários degraus da escada. Mas parecia que agora hesitava. Dupin foi apressadamente para a porta, quando ouvimos que ele subia novamente. Desta vez, não fugiu, mas avançou deliberadamente e bateu à porta do nosso quarto.

Dupin convidou-o a entrar, com uma voz alegre e cordial. Apresentou-se um homem. Era, evidentemente, um marinheiro, alto, robusto, um indivíduo musculoso com uma expressão audaciosa, que não era de todo desagradável! A cara dele estava semiescondida com as suíças e os bigodes. Trazia uma bengala de carvalho, mas não parecia ter qualquer outra arma. Cumprimentou-nos desajeitadamente e deu-nos boa-noite em francês, se bem que com um ligeiro sotaque suíço que lembrava bastante uma origem parisiense.

— Sente-se, meu amigo, suponho que vem por causa do seu orangotango. Palavra de honra que quase o invejo; é bonito e, sem dúvida, um animal de grande preço. Quantos anos tem?

O marinheiro suspirou longamente, com jeito de quem se sente aliviado de um peso, e respondeu com uma voz calma:

— Não poderia dizê-lo muito bem. No entanto, não deve ter mais de quatro ou cinco anos. Ele está aqui?

— Oh! Não; não tínhamos lugar apropriado para prendê-lo. Está numa cavalariça, perto daqui, em Dubourg. Já o terá amanhã de manhã. Poderá comprovar o direito de propriedade?

— Sim, senhor, certamente.

— Ficarei triste por me separar dele — respondeu-lhe Dupin.

— Não compreendo por que se incomodou por tão pouco; não contava com isso, senhor. Pagarei de boa vontade uma gratificação à pessoa que encontrou o animal e uma recompensa, se entender.

— Muito bem — respondeu-lhe o meu amigo —, tudo isso é muito justo. Vejamos, que daria então? Oh! Vou dizer-lhe. Eis qual será a minha recompensa: contar-me tudo o que sabe acerca dos dois crimes da rua Morgue.

Dupin pronunciou estas últimas palavras em voz baixa e muito tranquila. Dirigiu-se depois para a porta com a mesma calma, fechou-a e meteu a chave no bolso. Tirou então uma pistola do bolso e colocou-a sem a menor emoção sobre a mesa. O rosto do marinheiro tornou-se escarlate como se estivesse a sentir-se sufocado. Ergueu-se e agarrou na bengala, mas um segundo depois sentou-se pesadamente no banco, tremendo violentamente, com a morte estampada na cara.

Não podia articular uma palavra. Lamentava-o de todo o meu coração.

— Meu amigo — disse Dupin, com uma voz cheia de bondade — alarma-se sem motivos. Garanto-lhe que não queremos causar-lhe nenhum mal. Dou a minha palavra que não temos nenhuma má intenção contra você. Sei perfeitamente que está inocente dos horrores da rua Morgue. Contudo, isso não quer dizer que não esteja um pouco implicado. Por pouco que lhe tenha dito, devo provar-lhe que tive sobre este caso meios de informação dos quais jamais teria desconfiado. Agora, a coisa é clara para nós. Não fez nada que pudesse evitar, nada de certeza que o torne culpado. Teria podido roubar impunemente. Não tem nada a esconder, não tem razão para esconder seja o que for. Por outro lado, é constrangido por todos os princípios de honra a confessar tudo. O que sabe. Um homem inocente está presentemente preso e acusado de um crime cujo autor o senhor pode indicar.

Enquanto Dupin pronunciava estas palavras, o marinheiro recobrou em grande parte a presença de espírito; mas toda a sua ousadia inicial desaparecera.

— Que Deus me valha! — exclamou ele depois de uma pequena pausa. — Direi tudo o que sei deste caso, mas não espero que acredite nem na metade, seria idiota se esperasse! No entanto, estou inocente e direi tudo o que tenho no meu coração, mesmo que me custe a vida.

Eis o que nos contou. Tinha feito recentemente uma viagem ao arquipélago indiano. Um grupo de marinheiros, do qual fazia parte, desembarcou no Bornéu e penetrou no interior para aí fazer uma excursão. Ele e um dos seus camaradas apanharam o orangotango. O camarada morreu e o animal tornou-se, portanto, sua propriedade. Depois de muitos transtornos causados pela ferocidade do animal, durante a travessia, ele conseguiu instalá-lo na sua própria casa, em Paris, e para não atrair a insuportável curiosidade dos vizinhos, conservou o animal cuidadosamente fechado, até o curar de uma ferida num pé, que fizera a bordo, com uma lasca de osso. O seu intento era vendê-lo.

Ao acordar, uma noite, depois de uma orgiazinha de marinheiros, encontrou o animal instalado no quarto dele: escapara do cômodo ao lado, onde o julgava bem fechado. Com uma navalha na mão e cheio de espuma de sabão, estava sentado diante de um espelho e tentava barbear-se, como, sem dúvida, vira o dono fazer, ao espreitar pelo buraco da fechadura. Aterrorizado por ver uma arma perigosa nas mãos de um animal tão feroz, muito capaz de se servir dela, o homem, durante uns instantes, não soube o que devia fazer. Como de costume, ele domava o animal, mesmo nos acessos mais furiosos, por meio de chicotadas, e quis recorrer a elas, uma vez mais. Mas ao ver o chicote, o orangotango saltou pela porta do quarto, desceu rapidamente pelas escadas, e, aproveitando uma janela aberta, por desgraça, saltou para a rua.

O francês, desesperado, perseguiu o macaco; este, segurando sempre a navalha, parava de vez em quando, voltava-se e fazia caretas ao homem que o perseguia, até se ver quase preso. Depois retomava a corrida. As ruas estavam absolutamente desertas, porque seriam umas três da manhã. Ao atravessar uma passagem da rua por detrás da rua Morgue, a atenção do fugitivo foi despertada por uma luz que se via na janela da senhora L'Espanaye, no quarto andar do prédio. Precipitou-se para a parede, avistou o cabo do para-raios, e apoiando-se nele, trepou com uma inacreditável agilidade, agarrou-se à porta da janela que estava junto à parede, e apoiando-se por cima, lançou-se direito à cabeceira da cama. Toda esta ginástica não durou um minuto. A porta foi atirada de novo para a parede, pelo salto que o orangotango dera ao entrar no quarto.

Entretanto, o marinheiro ficou ao mesmo tempo alegre e inquieto. Tinha muitas esperanças de agarrar o animal, que podia dificilmente escapar da armadilha em que se tinha aventurado e onde poderia impedir-lhe a fuga. Por outro lado, tinha razão para estar bastante inquieto pelo que ele poderia fazer dentro de casa.

Esta última reflexão incitou o homem a perseguir o fugitivo. Não é difícil para um marinheiro trepar pelo cabo de um para-raios, mas, quando chegou à altura da janela situada bastante longe, à esquerda, ele sentiu-se desorientado; tudo quanto pôde fazer foi erguer-se de forma a dar uma espiada no interior do quarto. Mas o que viu quase o fez cair, aterrorizado. Foi então que se ouviram os gritos horríveis que, no silêncio da noite, despertaram em sobressalto os habitantes da rua Morgue. A senhora L'Espanaye e a sua filha, já com as suas roupas de dormir, estavam ocupadas certamente a arrumar alguns papéis no cofre de ferro, que já se mencionou e que fora atirado para o meio da casa. Este achara-se aberto, o seu conteúdo espalhado no chão. As vítimas, sem dúvida, de costas para a janela, e a julgar pelo tempo que decorreu entre a invasão do animal e os primeiros gritos, é provável que não se notasse imediatamente. O bater da porta da janela podia ser na realidade atribuído ao vento.

Quando o marinheiro olhou para dentro do quarto, o terrível animal tinha agarrado a senhora L'Espanaye pelos cabelos, que estavam soltos porque estava se penteando, e o animal andava em volta da casa, imitando os gestos de um barbeiro. A filha tombara no chão, desmaiada, imóvel. Os gritos e esforços da senhora idosa, enquanto os cabelos lhe foram arrancados da cabeça, fizeram com que transformasse em fúria as disposições provavelmente pacíficas do orangotango. Com um golpe rápido do braço musculoso, quase separou a cabeça dela do tronco. Rangia os dentes e lançava faíscas dos olhos. Deitou-se em cima do corpo da jovem, enterrando as unhas na garganta e conservando-as ali até ela estar morta. Os seus olhos espantados, selvagens, avistaram nesse momento a cabeceira da cama, por cima da qual pôde ver a cara do seu dono paralisado pelo horror.

A fúria do animal, que sem dúvida alguma se recordava do terrível chicote, transformou-se imediatamente em terror. Sabendo bem que tinha merecido um castigo, parecia querer esconder os vestígios sangrentos do seu ato, e saltando, nervoso, acotovelando e quebrando os móveis a cada um dos seus movimentos, arrancou os colchões da cama. Por fim, agarrou o corpo da jovem e empurrou-o para dentro da chaminé na posição em que foi encontrado. A seguir pegou o corpo da senhora, atirando, primeiramente, a cabeça pela janela.

Como o macaco se aproximasse da janela com o seu fardo totalmente mutilado, o marinheiro, espantado, baixou-se, deixou-se escorregar e fugiu, temendo as consequências desta carnificina e, aterrorizado, resolveu deixar de lado qualquer preocupação sobre o destino do seu orangotango.

As vozes ouvidas pelas pessoas eram as suas exclamações de horror, misturadas com os guinchos diabólicos do animal.

Quase nada mais tenho a acrescentar. O orangotango escapara, sem dúvida, do quarto, pelo cabo do para-raios, no momento em que a porta foi arrombada. Ao passar pela janela, ela se fechara, evidentemente. Foi apanhado mais tarde pelo próprio dono, que o vendeu por bom preço ao zoológico.

Lebon foi imediatamente posto em liberdade, depois que nós contamos detalhadamente todo o caso, temperado com alguns comentários de Dupin, no gabinete do chefe da polícia. Este funcionário, por muito bem-disposto que estivesse para com o meu amigo, não podia disfarçar o seu mau humor vendo o inquérito dar essa reviravolta, e não deixou de falar com sarcasmo, sobre "a mania que as pessoas têm de se intrometer na vida alheia".

— Deixe que fale — disse Dupin, que não julgou adequado replicar.
— Deixem criticar que isso aliviará a sua consciência. Estou contente por

o ter batido no seu próprio terreno. O fato de ele não decifrar este mistério não é razão nenhuma para se espantar, porque, na verdade, o nosso amigo chefe é um homem demasiadamente esperto para ser profundo. A sua ciência não tem fundamento. Ela é toda cabeça e não tem corpo, tal como a deusa Laverna[46], ou, se gostarem mais, toda cabeça e ombros, como o bacalhau. Mas, apesar de tudo, é um homem valente. Adoro-o em particular por sua falsa modéstia ao qual deve a reputação de gênio. Falo da sua mania de "negar o que é, e explicar o que não é"[47].

O MISTÉRIO DE MARIE ROGÊT

Es giebt eine Reihe idealischer Begebenheiten, die der Wirklichkeit parallel lauft. Selten fallen sie zusammen. Menschen und zufalle modificiren gewohulich die idealische Begebenheit, so dass sie unvollkommen erscheint, und ihre Folgen gleichfalls unvollkommen sind. So bei der Reformation; statt des Protestantismus kam das Lutherthum hervor.

Existem sucessões ideais de eventos que correm paralelas aos eventos reais. Elas raramente coincidem. Homens e circunstâncias geralmente modificam o curso ideal de eventos, de modo que podem parecer imperfeitos, e suas consequências são igualmente imperfeitas. Isso ocorreu com a Reforma; em vez do Protestantismo, surgiu o Luteranismo. — Novalis[48]. *Moral Ansichten.*

Existem poucas pessoas, mesmo entre os pensadores mais serenos, que não tenham eventualmente sido surpreendidas por uma vaga, mas marcante, crença no sobrenatural, devido a coincidências de um caráter aparentemente tão extraordinário que o espírito se sente incapaz de admiti-las como puras coincidências. Tais sentimentos são difíceis de ser reprimidos, a menos que se recorra à ciência da sorte ou, segundo a denominação técnica, ao cálculo das probabilidades. Ora, este cálculo é, na sua essência, apenas matemático, e temos assim a anomalia da ciência

---

46 Na mitologia romana é a deusa dos ladrões e trapaceiros. (N. do R.)
47 Frase do filósofo francês Jean Jacques Rousseau. (N. do T.)
48 Pseudônimo do autor Friedrich von Hardenberg. (N. do T.)

mais rigorosamente exata aplicada à sombra e à espiritualidade do que há de mais impalpável no mundo da especulação.

Verão que os extraordinários detalhes que sou levado a tornar públicos formam, com respeito à sequência do tempo, o ramo principal de uma série de coincidências dificilmente inteligíveis, cujo ramo secundário ou concludente será reconhecido por todos os leitores no recente assassinato de Mary Cecilia Rogers, em Nova Iorque.

Há cerca de um ano, quando, num artigo intitulado *Os Assassinatos da rua Morgue*, me dediquei a descrever alguns dos traços mais marcantes da personalidade do meu amigo, o *Chevalier*[49] C. Auguste Dupin, não me ocorreu a ideia de que teria algumas vezes de voltar ao mesmo assunto. A descrição dessa personalidade é meu objetivo, que foi cumprido na série de circunstâncias apresentadas para exemplificar a peculiaridade de Dupin. Eu podia ter citado outros exemplos, mas não teria provado nada além do que fiz. Eventos posteriores, entretanto, em seus inacreditáveis desdobramentos, motivaram-me a entrar em mais detalhes, que carregarão consigo um ar de confissão arrancada à força. Tendo ouvido o que ouvi recentemente, seria de fato estranho que eu permanecesse em silêncio com respeito ao que há tanto tempo vi e ouvi. Com o desfecho da tragédia implicada nas mortes de Madame L'Espanaye e sua filha, o Chevalier afastou o episódio imediatamente de sua atenção, e recaiu em seus antigos hábitos de temperamentais devaneios. Inclinado, a todo momento, à abstração, prontamente deixei-me levar pelo seu estado de espírito; e, continuando a ocupar nossas acomodações no Faubourg Saint Germain, abandonamos o futuro ao sabor dos ventos e repousamos tranquilamente no presente, tecendo em sonhos a trama insípida do mundo que nos cercava.

Mas esses sonhos não foram completamente ininterruptos. Pode-se presumir facilmente que o papel desempenhado por meu amigo no drama da rua Morgue causou espanto na imaginação da polícia parisiense. Entre seus agentes, o nome de Dupin tornou-se menção familiar. Dado o caráter simples daquelas deduções pelas quais esclarecera o mistério nunca explicado sequer para o chefe de polícia — ou para qualquer outro indivíduo senão eu mesmo —, sem dúvida não é de surpreender que o episódio fosse encarado

---

49 Título fornecido aos cavaleiros do imperador francês Napoleão Bonaparte. (N. do T.)

como pouco menos do que miraculoso, ou que as capacidades analíticas de Chevalier fossem creditadas à sua intuição. Sua franqueza o teria levado a corrigir quem quer que o inquirisse com tal opinião preconcebida; mas seu estado de espírito indolente impedia qualquer outra discussão a respeito de um assunto cujo interesse para ele próprio havia muito deixara de existir. Desse modo aconteceu de se ver como o centro de atenções aos olhos da polícia; e não foram poucos os casos em que se fizeram tentativas de empregar seus serviços na polícia. Um dos mais notáveis foi o do assassinato de uma jovem chamada Marie Rogêt.

Esse fato ocorreu cerca de dois anos após a atrocidade na rua Morgue. Marie, cujo nome de batismo e de família irão imediatamente chamar atenção por sua semelhança com os da infeliz "garota dos charutos", era filha única da viúva Estelle Rogêt. O pai morrera quando ela era criança e, da época de sua morte, até dezoito meses antes do assassinato que compõe o tema de nossa narrativa, mãe e filha moraram juntas na rua *Pavée Saint Andrée*. A senhora mantinha uma pensão, com ajuda de Marie.

As coisas continuaram desse modo até Marie ter completado vinte e dois anos, quando sua beleza atraiu a atenção de um perfumista, que ocupava uma das lojas térreas do Palais Royal, e cuja clientela se compunha sobretudo dos perigosos aventureiros que infestavam a vizinhança. Sr. Le Blanc não ignorava as vantagens advindas de ter a bela Marie atendendo em sua perfumaria; e sua proposta generosa foi ansiosamente acolhida pela garota, embora com um pouco mais de hesitação por parte da mãe.

As expectativas do lojista foram atendidas, e os encantos da bela atendente não tardaram em dar destaque aos seus salões. Ocupava o lugar havia cerca de um ano quando os seus admiradores foram lançados na desolação pelo repentino desaparecimento da jovem. O Sr. Le Blanc confessou-se incapaz de prestar contas desta ausência, e a Sra. Rogêt ficou louca de inquietação e terror. Os jornais imediatamente foram dominados pelo assunto e a polícia se preparava para conduzir uma investigação a fundo quando, em uma bela manhã, uma semana mais tarde, Marie, de perfeita saúde, mas com um ar ligeiramente entristecido, reapareceu, como de costume, atrás do balcão da perfumaria. Todas as investigações, exceto as que se revestiam de um caráter privado, foram imediatamente interrompidas. O Sr. Le Blanc continuava, como anteriormente, sem saber de nada. Marie e a mãe respondiam, a quem as interrogava, que tinham passado a última semana na casa de um parente, no campo. O caso caiu, então, num esquecimento geral, pois a jovem, com o objetivo de subtrair-se à impertinência da curiosidade, abandonou de vez a perfumaria e foi refugiar-se na casa da mãe, na rua *Pavée Saint Andrée*.

Foi cerca de cinco meses após ter voltado para casa que seus amigos ficaram alarmados com seu súbito desaparecimento pela segunda vez. Três dias se passaram sem que se tivesse qualquer notícia dela. No quarto dia, seu cadáver foi encontrado flutuando no Sena, junto à margem oposta ao da rua *Saint Andrée*, e num ponto não muito distante dos isolados arredores da Barrière du Roule.

A atrocidade desse assassinato — pois ficou imediatamente evidente que um assassinato fora cometido —, a juventude e beleza da vítima e, acima de tudo, sua anterior notoriedade, combinaram-se para gerar uma intensa agitação na mente dos impressionáveis parisienses.

Não me recordo de qualquer outra ocorrência similar que tenha produzido um efeito tão geral e intenso. Por várias semanas, na discussão desse assunto envolvente, até mesmo as importantes questões políticas foram deixadas de lado. O chefe de polícia empreendeu esforços fora do comum; e os recursos de toda a corporação parisiense foram, é claro, exigidos ao máximo.

Assim que se encontrou o cadáver, ninguém imaginava que o assassino seria capaz de fugir, por mais do que um período muito breve, à investigação que foi imediatamente posta em ação.

Apenas ao final de uma semana julgaram necessário oferecer uma recompensa; e mesmo então o prêmio se limitou a mil francos. Nesse meio-tempo, as buscas prosseguiram com vigor, ainda que nem sempre com bom senso, e inúmeros indivíduos foram interrogados sem resultado. Devido à ausência total de quaisquer pistas para o mistério, a agitação popular só aumentou.

Ao final do décimo dia, acharam aconselhável dobrar o valor da recompensa. Finalmente, após transcorrer uma segunda semana sem que se chegasse a alguma revelação, e tendo-se dado vazão à intolerância contra a polícia que sempre existiu em Paris mediante inúmeros graves tumultos, o chefe de polícia encarregou-se pessoalmente de oferecer a quantia de vinte mil francos *"pela denúncia do assassino"* ou, se mais de um se provasse envolvido, *"pela denúncia de qualquer um dos assassinos"*. No anúncio em que se ofertou a recompensa, pleno perdão era prometido a qualquer cúmplice que apresentasse alguma evidência contra seu parceiro; e diante disso tudo ficava claro, onde quer que o anúncio aparecesse. Havia também um cartaz privado de uma comissão de cidadãos oferecendo dez mil francos, além da quantia proposta pela chefatura de polícia.

A recompensa toda assim chegava a não menos que trinta mil francos, uma soma extraordinária quando consideramos a condição humilde da garota e a enorme frequência de tais atrocidades nas cidades grandes.

Ninguém duvidava agora que o mistério desse assassinato seria logo esclarecido. Mas, embora em uma ou duas oportunidades tenham sido feitas detenções com a promessa de elucidação, ainda assim nada veio à tona capaz de implicar os indivíduos suspeitos; e estes foram liberados.

Por estranho que possa parecer, a terceira semana desde a descoberta do corpo havia passado sem que luz alguma fosse lançada sobre o assunto, antes, até mesmo, que qualquer rumor dos eventos que tanto agitavam a opinião pública chegasse aos ouvidos de Dupin e aos meus.

Debruçados em pesquisas que monopolizavam toda a nossa atenção, já passara quase um mês sem que nenhum de nós saísse de casa nem recebesse uma única visita, quando muito correndo os olhos pelos principais artigos políticos de um dos jornais diários. A primeira notícia do assassinato nos foi trazida por G... pessoalmente. Ele nos procurou no início da tarde do dia 13 de julho de 18__, e permaneceu conosco até tarde da noite. Estava indignado com o fracasso de todas as suas tentativas de desentocar os assassinos. Sua reputação, conforme frisou com um ar peculiarmente parisiense, estava em jogo. Mesmo sua honra corria perigo. Os olhos do público estavam sobre ele; e, decerto, não havia sacrifício que não se dispunha a fazer por algum progresso na elucidação do mistério. Concluiu seu discurso até certo ponto risível com um elogio ao que tinha a satisfação de chamar de o tato de Dupin, e lhe fez um oferecimento direto e, certamente, pródigo cuja natureza precisa não me sinto à vontade para revelar, mas que não tem qualquer relevância para o assunto mesmo de minha narrativa.

O meu amigo rejeitou o cumprimento o melhor que pôde, mas aceitou imediatamente a oferta, ainda que as suas vantagens fossem absolutamente condicionais. Estabelecido este ponto, o chefe de polícia começou imediatamente a dar uma explicação das suas próprias ideias, intercalando longos comentários sobre os depoimentos, aos quais não tínhamos acesso.

Ele falou bastante e, sem sombra de dúvida, com conhecimento de causa. Eu me arriscava a uma ou outra sugestão ocasional conforme a noite sonolentamente se estendia. Dupin, sentado ereto em sua poltrona costumeira, era a personificação da atenção respeitosa. Permaneceu de óculos durante toda a conversa; e um ocasional relance por baixo de suas lentes escuras bastou para me convencer de que dormiu, tão profunda quanto silenciosamente, durante todas as sete ou oito horas imediatamente precedentes à partida do chefe de polícia.

Pela manhã, obtive na chefatura um relatório completo com todos os testemunhos colhidos e, nas redações dos diversos jornais, um exemplar de cada jornal em que, desde o início até o fim, fora publicada qualquer informação conclusiva sobre o triste episódio. Livre de tudo o que havia sido definitivamente refutado, o montante de informação era o seguinte:

Marie Rogêt deixou a residência de sua mãe, na rua *Pavée Saint Andrée*, por volta das nove horas da manhã de domingo, no dia 22 de junho de 18__ Ao sair, comunicou a um certo Sr. Jacques St. Eustáquio[50], somente a ele e a mais ninguém, sua intenção de passar o dia com uma tia que residia na rua des Drômes. A rua des Drômes é uma via curta e estreita, mas movimentada, não muito longe das margens do rio, e a uma distância de uns três quilômetros, no curso mais direto possível, desde a pensão de Sra. Rogêt. St. Eustáquio era o pretendente de Marie, e se hospedava, bem como fazia suas refeições, na pensão. Fora sua intenção buscar a noiva ao escurecer, de modo a acompanhá-la na volta para casa. À tarde, porém, choveu pesadamente; e, supondo que ela passaria a noite na casa da tia — como fizera sob circunstâncias similares antes —, não julgou necessário cumprir o combinado. Com o cair da noite, a Sra. Rogêt — que era uma velha doente, de setenta anos de idade — manifestou o receio "de que nunca veria Marie outra vez"; mas o comentário chamou pouca atenção, naquele momento.

---

50 Santo Eustáquio ou Santo Eustácio foi um mártir cristão que viveu entre os séculos I e II, foi condenado pelo imperador romano Adriano a morrer no touro de bronze junto de sua esposa e filhos. (N. do R.)

Na segunda-feira, verificou-se que a moça não estivera na rua des Drômes; e quando o dia passou sem que se tivesse notícia dela, uma busca tardia foi instituída em diversos pontos da cidade e dos arredores. Entretanto, não foi senão no quarto dia após seu desaparecimento que alguma coisa satisfatória se verificou com respeito a ela. Nesse dia — quarta-feira, dia 25 de junho —, um certo Sr. Beauvais, que, junto a um amigo, estivera indagando a respeito de Marie perto da Barrière du Roule, na margem do Sena oposta à rua *Pavée Saint André*, foi informado de que um cadáver acabara de ser retirado da água por alguns pescadores que o haviam encontrado flutuando no rio. Ao ver o corpo, Beauvais, após alguma hesitação, identificou-o como sendo o da garota da perfumaria. Seu amigo reconheceu-o mais prontamente.

O rosto estava coberto de sangue escurecido, parte dele escorrido pela boca. Não se via espuma alguma, como é o caso dos meramente afogados. Não havia descoloração do tecido celular. Perto da garganta viam-se hematomas e marcas de dedos. Os braços estavam dobrados sobre o peito e rígidos. A mão direita estava fechada com firmeza; a esquerda, parcialmente aberta. No pulso esquerdo havia duas escoriações circulares, aparentemente causadas por cordas, ou uma corda dando mais de uma volta. Uma parte do pulso direito também estava bastante esfolada, bem como as costas em toda a sua extensão, mas, mais particularmente, nas omoplatas. Ao puxar o corpo para a margem, os pescadores o haviam amarrado a uma corda; mas nenhuma das escoriações fora provocada por isso. A carne do pescoço estava muito inchada. Não havia cortes visíveis, ou contusões que parecessem efeito de golpes. Acharam um pedaço de fita amarrado tão apertado em torno do pescoço que não podia ser visto. Estava completamente enterrado na carne e preso por um nó logo abaixo da orelha esquerda. Só isso já teria sido suficiente para causar a morte. O laudo médico atestou com segurança a castidade da falecida. Ela fora submetida, dizia-se, a uma violência brutal. Nas condições em que o corpo foi encontrado, não poderia haver qualquer dificuldade em seu reconhecimento pelos amigos.

A roupa estava muito rasgada e, no mais, desfeita. No exterior do vestido, uma faixa com cerca de trinta centímetros de largura fora rasgada da barra inferior até a cintura, mas não arrancada. Estava enrolada três vezes em torno da cintura e presa por uma espécie de nó às costas. Sua saia de baixo do vestido era de fina musselina; e dessa parte uma faixa de quarenta e cinco centímetros fora inteiramente arrancada muito uniformemente e com grande cuidado. Esta foi encontrada em torno do pescoço, enrolada de um modo frouxo, e presa com um nó cego. Sobre essa faixa de musselina e a faixa de renda estavam amarrados os cordões do chapéu, que ainda pendia. O nó pelo qual os cordões desse chapéu estavam amarrados não era tipicamente feminino, mas um nó de marinheiro.

Após o reconhecimento do corpo, ele não foi levado, como de costume, para o necrotério, mas enterrado às pressas não muito longe do ponto onde fora resgatado das águas. Graças aos esforços de Beauvais, o assunto foi diligentemente abafado, o máximo possível; e vários dias se passaram antes que houvesse comoção pública. O semanário *New York Mercury*, entretanto, finalmente noticiou o caso. O cadáver foi exumado e procedeu-se a um novo exame; mas nada apareceu que já não houvesse sido antes observado. As roupas, entretanto, foram agora submetidas à mãe e aos amigos da vítima e identificadas seguramente como as que a moça usava ao sair de casa.

A euforia aumentava a todo momento. Diversos indivíduos foram detidos e liberados. As principais suspeitas recaíram sobre St. Eustáquio, e ele foi incapaz, no começo, de fornecer um relato coerente de seu paradeiro no domingo em que Marie saiu de casa. Subsequentemente, entretanto, apresentou ao Sr. G... uma declaração juramentada prestando contas de cada hora passada no dia em questão.

Conforme o tempo passava sem que nenhum avanço fosse feito no caso, um milhão de rumores circulavam e os jornalistas ocupavam-se de tecer insinuações. Entre elas, a que atraiu maior atenção foi a ideia de que Marie Rogêt ainda vivia – que o cadáver encontrado no Sena era o de alguma outra infeliz.

Será conveniente que eu apresente ao leitor alguns trechos que exemplificam a insinuação acima aludida. Esses trechos são traduções literais do *L'Etoile*, jornal dirigido, em geral, com grande competência.

"*A senhorita Rogêt deixou a casa de sua mãe no domingo pela manhã, dia 22 de junho de 18__, com o propósito ostensivo de visitar a tia, ou algum outro parente, na rua des Drômes. Desse momento em diante, ninguém mais a viu, comprovadamente. Não há absolutamente qualquer rastro ou notícia dela. [...] Ninguém, seja quem for, se apresentou, até o presente instante, dando conta de tê-la visto nesse dia, depois que passou pela porta da casa de sua mãe. [...] Ora, ainda que não tenhamos qualquer evidência de que Marie Rogêt estivesse no mundo dos vivos após as nove horas do domingo, dia 22 de junho, temos prova de que, até essa hora, continuava com vida. Ao meio-dia da quarta-feira, o corpo de uma mulher foi encontrado flutuando à beira d'água na Barrière du Roule. Isso foi, mesmo presumindo-se que Marie Rogêt tenha sido atirada ao rio até três horas após ter deixado a casa de sua mãe, apenas três dias a contar do momento em que saiu de casa. Três dias, uma hora a mais, uma hora a menos. Mas é tolice supor que o assassinato, se um assassinato foi cometido contra seu corpo, poderia ter se consumado cedo o bastante para que os assassinos houvessem jogado o corpo no rio antes da meia-noite. Os culpados de tais crimes horrendos preferem a escuridão à luz. [...] Assim, entendemos que se o corpo encontrado no rio era de fato o de Marie Rogêt, ele só poderia ter ficado na água dois dias e meio, ou três, no máximo. A experiência, nesses casos, mostra que corpos afogados, ou corpos jogados na água imediatamente após a morte violenta, exigem de seis a dez dias de suficiente decomposição até voltarem à superfície.*

"*Por fim, é excessivamente improvável que os malfeitores, depois de terem cometido um crime tal como o que se lhes atribui, lançassem o corpo à água sem um peso para o lastrar, quando seria tão fácil tomar essa precaução.*

"*Mesmo se um canhão houver sido disparado no ponto onde está um cadáver, e ele subir antes de pelo menos cinco ou seis dias de imersão, voltará a afundar se deixado à própria sorte. Ora, perguntamo-nos, o que aconteceu nesse caso para provocar um desvio do curso normal da natureza? [...] Se o corpo tivesse sido mantido na margem em seu estado desfigurado até terça-feira à noite, algum vestígio dos assassinos teria sido encontrado na margem. É uma questão duvidosa, ainda, se o corpo teria vindo à tona tão cedo, mesmo tendo sido lançado na água dois dias após a morte. E, além do mais, é sumamente improvável que algum vilão que houvesse cometido tal crime como o que se supõe aqui teria jogado o corpo sem lhe atar algum peso para afundá-lo, quando tal precaução poderia facilmente ter sido tomada.*"

O editor, então, prossegue argumentando que o corpo devia ter ficado na água "não meramente três dias, mas, pelo menos, cinco vezes isso", pois estava tão decomposto que Beauvais teve grande dificuldade em reconhecê-lo.

Esse último ponto, entretanto, foi plenamente refutado. Continuo a citação:

"*Quais são, então, os fatos em que Sr. Beauvais se apoia para afirmar, sem dúvida, que o corpo era de Marie Rogêt? Ele rasgou a manga do vestido e diz ter encontrado marcas que o satisfizeram acerca da identidade. O público em geral supôs que tais marcas consistiam em cicatrizes de algum tipo. Ele esfregou o braço e encontrou cabelos nele – algo tão impreciso, achamos, quanto se pode prontamente imaginar – tão pouco conclusivo quanto encontrar um braço dentro da manga. Sr. Beauvais não voltou nessa noite, mas mandou informar a Sra. Rogêt, às sete horas da noite de quarta-feira, que uma investigação com relação à sua filha continuava em curso. Se admitimos que Sra. Rogêt, devido à idade e ao luto, não podia ter ido até lá (o que é admitir muita coisa), decerto deve ter havido alguém para achar que valia a pena comparecer a fim de auxiliar na investigação, se achavam que o corpo era de Marie. Ninguém apareceu. Nada foi dito ou ouvido sobre o assunto na Rua Pavée Saint Andrée que chegasse sequer aos ocupantes do mesmo prédio. Sr, St. Eustáquio, o noivo e futuro esposo de Marie, que era inquilino na pensão de sua mãe, disse em seu depoimento que não soube da descoberta do corpo de sua noiva senão na manhã seguinte, quando o Sr. Beauvais entrou em seu quarto e lhe comunicou a respeito. Para uma notícia como essa, parece-nos que foi muito friamente recebida.*"

O jornal tentava criar uma impressão de apatia por parte das pessoas ligadas a Marie, inconsistente com a suposição de que essas pessoas acreditassem que o cadáver fosse dela. Chegava a ponto de insinuar que Marie, com a conivência de seus amigos, ausentara-se da cidade por motivos ligados a uma acusação contra sua castidade; e que esses amigos, quando da descoberta de um cadáver no Sena, em certa medida parecido com o da moça, haviam se aproveitado da oportunidade para inculcar no público a crença em sua morte. Mas o *L'Etoile* foi novamente apressado demais. Ficou nitidamente demonstrado que nenhuma apatia, tal como se imaginara, existia; que a velha senhora estava extraordinariamente fraca, tão agitada a ponto de ser incapaz de cumprir qualquer obrigação; que St. Eustáquio, longe de receber a notícia com frieza, ficou enlouquecido de pesar, e portou-se de modo tão descontrolado que M. Beauvais persuadiu um amigo e parente a se encarregar dele, e impediu que presenciasse o exame na exumação. Além disso, embora fosse afirmado pelo *L'Etoile* que o cadáver voltou a ser enterrado às expensas públicas – que um vantajoso oferecimento de sepultura particular foi absolutamente declinado pela família – e que nenhum membro da família compareceu ao cerimonial: – embora, repito, tudo isso tenha sido asseverado pelo *L'Etoile*, enfatizando ainda mais a impressão que o jornal objetivava transmitir – contudo, tudo isso foi satisfatoriamente refutado. Em um número subsequente, uma tentativa foi feita de lançar suspeita sobre o próprio Beauvais. O editor diz:

"*Agora surge uma novidade na questão. Fomos informados de que, em certa ocasião, enquanto uma tal de Sra. B... encontrava-se na casa de Sra. Rogêt, Sr. Beauvais, que estava de saída, disse-lhe que um policial era aguardado ali, e que ela, Sra. B., não devia dizer coisa alguma ao policial até seu regresso, mas que deixasse o assunto com ele. [...] Na presente situação das coisas, Sr. Beauvais parece ter a questão toda engatilhada na cabeça. Nem um único passo pode ser dado sem Sr. Beauvais; pois, independentemente do caminho escolhido, é impossível não esbarrar nele. [...] Por algum motivo, determinou que ninguém deveria ter qualquer envolvimento com os procedimentos a não ser ele mesmo, e tirou do caminho os homens da família, segundo se queixaram, de uma maneira assaz singular. Ao que parece, tem se mostrado muito avesso a permitir que os parentes vejam o corpo.*"

Alguma plausibilidade foi dada à suspeita desse modo lançada sobre Beauvais. Um visitante de seu escritório, poucos dias antes do desaparecimento da moça, e na ausência de seu ocupante, observara uma rosa no buraco da fechadura da porta e o nome "Marie" escrito em uma lousa pendurada bem à mão.

A impressão geral, até onde fomos capazes de extrair dos jornais, parecia ser de que Marie fora vítima de uma gangue de delinquentes, que haviam sido eles que a levaram para o outro lado do rio, maltrataram-na e a assassinaram. O *Le Commercial*, periódico de extensa influência, combateu severamente essa ideia popular. Cito uma passagem ou duas de suas colunas:

"Estamos convencidos de que a perseguição até agora vem seguindo um rastro falso, na medida em que tem sido dirigida para a Barrière du Roule. É impossível que uma pessoa tão bem conhecida por milhares, como era essa jovem, tenha transposto três quadras sem que ninguém a tenha visto; e qualquer um que a tivesse visto teria se lembrado do fato, pois ela despertava interesse em todos que a conheciam. Aconteceu no momento em que as ruas estavam cheias de gente, quando ela saiu. [...] É impossível que tenha ido à Barrière du Roule, ou à rua des Drômes, sem ser reconhecida por uma dúzia de pessoas; e, contudo, não apareceu ninguém que a tenha visto após ter passado pela porta da casa de sua mãe; e não há evidência, exceto o testemunho relativo às suas intenções expressas, de que sequer tenha saído. Seu vestido estava rasgado, enrolado em torno de seu corpo e amarrado; e, a julgar por isso, foi carregada como um fardo. Se o assassinato houvesse sido cometido na Barrière du Roule, não teria havido necessidade de tal arranjo. O fato de que o corpo foi encontrado flutuando perto da barreira não constitui prova acerca do lugar onde foi atirado à água. [...] Um pedaço de uma das anáguas da infeliz garota, com sessenta centímetros de comprimento e trinta de largura, foi arrancado e amarrado sob seu queixo e em torno da nuca, provavelmente para impedir que gritasse. Isso foi feito por sujeitos que não carregam lenços de bolso."

Um dia ou dois antes de o chefe de polícia nos procurar, porém, chegou à polícia alguma informação importante que pareceu lançar por terra pelo menos a maior parte da argumentação do Le Commercial. Dois meninos, filhos de uma certa Sra. Deluc, enquanto perambulavam pelos bosques nos arredores da Barrière du Roule, penetraram por acaso em uma espessa moita, no interior da qual havia três ou quatro pedras grandes, formando uma espécie de banco, com encosto e descanso para os pés. Na pedra de cima estava uma anágua branca; na segunda, uma echarpe de seda. Uma sombrinha, luvas e um lenço de bolso também foram encontrados. O lenço exibia o nome "Marie Rogêt". Fragmentos de vestido foram encontrados nos arbustos ao redor. A terra estava pisoteada e havia galhos quebrados e sinais de luta. Entre a moita e o rio, descobriu-se que as tábuas da cerca haviam sido derrubadas e o solo mostrava evidência de que algum pesado fardo fora arrastado.

Um semanário, *Le Soleil* publicou os seguintes comentários sobre essa descoberta, comentários que meramente ecoavam o sentimento de toda a imprensa parisiense:

"Os objetos evidentemente ficaram ali pelo menos por três ou quatro semanas; estavam todos fortemente embolorados pela ação da chuva, e colados com o bolor. A relva crescera em volta e cobrira alguns deles. A seda da sombrinha era resistente, mas as fibras haviam grudado por dentro. A parte de cima, onde ela fora fechada e enrolada, estava toda embolorada e podre, e rasgou quando aberta. [...] Os pedaços de seu vestido arrancados pelos arbustos tinham cerca de oito centímetros de largura e quinze de comprimento. Uma parte era a bainha do vestido, que fora remendada; a outra peça era parte da saia, não a bainha. Pareciam tiras arrancadas e estavam no arbusto espinhento, a cerca de trinta centímetros do chão. [...] Não pode haver dúvida, portanto, de que o lugar dessa macabra barbaridade foi encontrado."

Como consequência dessa descoberta, novas evidências surgiram. Em seu depoimento, Sra. Deluc informou que mantém uma hospedaria não muito longe da margem do rio, do outro lado da Barrière du Roule. A área é afastada, muito afastada. É o usual ponto de encontro dos meliantes da cidade aos domingos, que atravessam o rio em botes. Às três horas, aproximadamente, na tarde do domingo em questão, uma jovem chegou à hospedaria, acompanhada de um rapaz de tez escura. Os dois permaneceram ali por algum tempo. Ao saírem, tomaram a trilha de um espesso bosque dos arredores. Chamou atenção de Sra. Deluc o vestido usado pela moça, devido à sua semelhança com o de uma parente sua, falecida. A echarpe foi particularmente notada. Pouco depois da partida do casal, uma gangue de malfeitores chegou, comportaram-se ruidosamente, comeram e beberam sem pagar, seguiram o caminho tomado pelo jovem e pela moça, voltaram à hospedaria ao entardecer e tornaram a cruzar o rio, aparentando grande pressa.

Pouco depois de escurecer, nessa mesma tarde, Sra. Deluc, assim como seu filho mais velho, escutou gritos de mulher nos arredores da hospedaria. Os gritos foram violentos, mas breves. Sra. D. reconheceu não só a echarpe encontrada na moita como também o vestido que acompanhava o cadáver. Um motorista de ônibus, Valence, agora também testemunhava ter visto Marie Rogêt atravessar o Sena em uma balsa, no domingo em questão, na companhia de um jovem de tez escura. Ele, Valence, conhecia Marie, e era impossível que houvesse se equivocado em relação à sua identidade. Os objetos encontrados na moita foram positivamente identificados pelos parentes de Marie.

As informações que reuni com base nos jornais, por sugestão de Dupin, compreendiam apenas mais um ponto, só que este ponto, ao que tudo indicava, de amplas consequências. Parece que, imediatamente após a descoberta das roupas tal como se descreveu acima, o corpo sem vida, ou quase sem vida, de St. Eustáquio, noivo de Marie, foi encontrado nos arredores da suposta cena do crime. Um frasco rotulado "láudano", vazio, estava ao seu lado. O hálito dava evidência do veneno. Morreu sem dizer uma palavra. Junto ao corpo foi encontrada uma carta, afirmando brevemente seu amor por Marie, e a intenção de suicídio.

– Dificilmente tenho necessidade de lhe dizer – afirmou Dupin, enquanto terminava de examinar minhas anotações – que esse caso é de longe muito mais complexo que o da rua Morgue; do qual difere num importante aspecto. Trata-se de um exemplo de crime comum, por mais atroz que seja. Não há nada de peculiar em sua natureza. Deve-se observar que, por esse motivo, o mistério tem sido considerado de fácil solução, quando, por esse motivo, é que deveria ser considerado difícil. Assim, no início, julgou-se desnecessário oferecer uma recompensa. Os beleguins de G... foram capazes de compreender na mesma hora como e por que tal atrocidade poderia ter sido cometida. Conseguiam conceber em sua imaginação um modo. Muitos modos e um motivo, muitos motivos. E como não era impossível que nenhum desses numerosos modos e motivos pudesse ter sido o verdadeiro, chegaram à conclusão de que um deles devia ser. Mas a naturalidade com que foram acalentadas essas diversas fantasias e a própria viabilidade que assumiu cada uma deve ser compreendida como um indicativo antes das dificuldades do que das facilidades que devem acompanhar a elucidação. Já tive oportunidade de observar que é alçando-se acima do plano do ordinário que a razão tateia seu caminho, se é que o faz, na busca da verdade, e que a pergunta apropriada em casos como esse não é tanto "o que aconteceu?" como "o que aconteceu que nunca aconteceu antes?". Nas investigações na residência de Sra. L'Espanaye, os homens de G... ficaram desencorajados e confusos com a própria estranheza que, para um intelecto devidamente regulado, teria proporcionado o mais seguro prognóstico de sucesso; ao passo que esse mesmo intelecto poderia ter mergulhado no desespero com o caráter ordinário de tudo que se apresentava à observação no caso da moça da perfumaria, e, contudo, nada comunicava senão o fácil triunfo aos funcionários da chefatura de polícia.

"No caso de Sra. L'Espanaye e sua filha, não havia, mesmo no início de nossa investigação, nenhuma dúvida de que um assassinato fora cometido. A ideia de suicídio foi excluída imediatamente. Aqui, também, estamos desobrigados, desde o começo, de fazer qualquer suposição sobre a ocorrência de suicídio. O corpo na Barreira Roule foi encontrado em circunstâncias tais que não oferece margem alguma para dificuldade nesse importante ponto. Mas sugeriu-se que o corpo encontrado não seria de Marie Rogêt, para o qual é oferecida a recompensa pelo assassino, ou assassinos, e esta é exatamente a mesma recompensa que negociamos, exclusivamente, com o chefe da polícia. Ambos conhecemos muito bem esse senhor. Não convém confiar demais nele. Se, datando nossas investigações da descoberta do corpo, e a partir daí rastreando um assassino; no entanto, descobrimos ser esse corpo de alguma outra pessoa que não Marie; ou, se começando por Marie com vida, chegamos até ela, e, contudo, descobrimos que não foi assassinada, tanto num caso como no outro terá sido um trabalho perdido; pois que é com Sr. G... que estamos lidando. Logo, em nosso próprio proveito, se não em proveito da justiça, é indispensável que nosso primeiro passo seja a determinação da identidade do cadáver como sendo o da desaparecida Marie Rogêt."

E Dupin prosseguiu com sua tese:

– Para o público, os argumentos do *L'Etoile* têm sido de peso; e pode-se inferir que o próprio jornal está convencido da importância deles, pelo modo como inicia um de seus ensaios a respeito do assunto. "Diversos matutinos de hoje", afirma, "falam a respeito do artigo conclusivo saído no *L'Etoile* de segunda". Para mim, esse artigo parece conclusivo sobre pouca coisa além do fervor de seu autor. Devemos ter em mente que, de modo geral, o objetivo de nossos jornais é, antes, criar uma comoção, vender seu peixe, do que promover a causa da verdade. Este último fim só é perseguido quando parece coincidir com o primeiro. O periódico que simplesmente se adapta à opinião normal (por mais bem fundamentada que essa opinião possa ser) não conquista para si crédito algum junto ao populacho. A massa do povo vê como profunda apenas a opinião que sugere pungentes contradições com a ideia geral. Na arte do raciocínio, não menos do que na literatura, é o epigrama que é mais imediata e universalmente apreciado. Em ambas, é da mais baixa ordem de mérito.

E ele continuou:

– O que quero dizer é que foi o misto de epigrama e melodrama na ideia de que Marie Rogêt ainda vive, mais do que em qualquer plausibilidade dessa ideia, que sugeriu isso ao *L'Etoile* e assegurou-lhe uma recepção favorável entre o público. Examinemos os principais pontos do argumento do jornal; empenhando-nos em evitar a incoerência com que é apresentado desde o início.

"O primeiro objetivo do jornalista é mostrar, pela brevidade do intervalo entre o desaparecimento de Marie e a revelação do corpo boiando, que o corpo não pode ser o de Marie. A redução desse intervalo à sua menor dimensão possível se torna, assim, na mesma hora, um objetivo para o autor do artigo. Na apressada busca desse objetivo, ele se precipita na mera suposição desde o início. 'É tolice supor', diz ele, 'que o assassinato, se um assassinato foi cometido contra seu corpo, poderia ter sido consumado cedo o bastante para permitir que os assassinos jogassem o corpo no rio antes da meia-noite'. A pergunta que nos ocorre de imediato, muito naturalmente, é: por quê? Por que é tolice supor que o crime foi cometido cinco minutos após a jovem ter deixado a casa de sua mãe? Por que é tolice supor que o assassinato foi cometido em um dado período do dia? Assassinatos ocorrem a qualquer hora. Porém, caso o crime houvesse ocorrido em algum momento entre as nove da manhã de domingo e quinze para a meia-noite, ainda assim teria havido tempo suficiente para ter 'jogado o corpo no rio antes da meia-noite'. Essa suposição, assim, resume-se precisamente a isso, que o assassinato não foi cometido no domingo, absolutamente, e, se permitirmos ao *L'Etoile* supor tal coisa, possivelmente estaremos lhes permitindo liberdades em tudo mais. O parágrafo que começa com 'É tolice supor que o assassinato etc.', embora apareça impresso no *L'Etoile*, pode ser imaginado como tendo existido assim no cérebro de seu autor. 'É tolice supor que o assassinato, se um assassinato foi cometido contra seu corpo, poderia ter sido cometido cedo o bastante para ter possibilitado a seus assassinos jogar o corpo no rio antes da meia-noite; é tolice, repetimos, supor tudo isso, e supor ao mesmo tempo (já que estamos determinados a supor) que o corpo não foi jogado senão após a meia-noite', uma frase bastante inconsequente em si mesma, mas não tão completamente absurda quanto a que vimos impressa", analisou Dupin.

– Caso fosse meu propósito – continuou Dupin – meramente provar a fragilidade do argumento nesse trecho do *L'Etoile*, eu poderia seguramente parar por aqui. Não é, entretanto, com o *L'Etoile* que temos de lidar, mas com a verdade. A frase em questão, do modo como está, significa apenas uma coisa; e esse significado eu já determinei razoavelmente: mas é de suma importância irmos além das meras palavras, em busca de uma ideia que essas palavras obviamente pretendiam transmitir, e falharam. A intenção do jornalista era dizer que, independentemente do período do dia ou da noite do domingo em que esse crime foi cometido, era improvável que os assassinos teriam se aventurado a carregar o corpo para o rio antes da meia-noite. E nisso reside, na verdade, a suposição de que me queixo. Ficou presumido que o assassinato foi cometido em tal lugar, e sob tais circunstâncias, que carregar o corpo para o rio fez-se necessário. Ora, o assassinato pode ter ocorrido às margens do rio, ou no próprio rio; e, desse modo, jogar o cadáver na água pode ter constituído, a qualquer hora do dia ou da noite, o recurso mais óbvio e imediato de que lançar mão para se livrar dele. Você deve compreender que não estou sugerindo aqui algo como sendo provável ou coincidente com minha própria opinião. Minha intenção, até agora, não guarda qualquer referência com os fatos do caso. Desejo meramente precavê-lo contra todo o tom sugerido no *L'Etoile*, chamando sua atenção para a natureza parcial do jornal desde o princípio.

"Tendo prescrevido, assim, um limite para acomodar suas próprias noções preconcebidas; tendo presumido que, se aquele era o corpo de Marie, não podia ter permanecido na água senão por um período muito breve; o jornal prossegue afirmando:

'*A experiência nesses casos mostra que corpos afogados, ou corpos jogados na água imediatamente após a morte violenta, exigem de seis a dez dias de suficiente decomposição até voltarem à superfície. Mesmo se um canhão houver sido disparado no ponto onde está um cadáver, e ele subir antes de pelo menos cinco ou seis dias de imersão, voltará a afundar se deixado à própria sorte.*'

"Essas alegações foram tacitamente admitidas por todos os jornais de Paris, com exceção do *Le Moniteur*. Este último se empenha em combater apenas o trecho do parágrafo que faz referência a 'corpos afogados', citando cerca de cinco ou seis casos em que os corpos de indivíduos sabidamente afogados foram encontrados flutuando após um intervalo de tempo menor do que o defendido pelo *L'Etoile*.

"Mas há algo excessivamente antifilosófico na tentativa por parte do *Le Moniteur* de refutar a asserção geral do *L'Etoile*, mencionando casos particulares que militam contra tal declaração. Tivesse sido possível transportar cinquenta em vez de cinco exemplos de corpos encontrados flutuando ao cabo de dois ou três dias, esses cinquenta exemplos ainda assim poderiam ser encarados propriamente apenas como exceções à regra do *L'Etoile*, até a chegada desse momento em que a própria regra devesse ser refutada. Admitindo-se a regra (e isso o *Le Moniteur* não nega, insistindo meramente em suas exceções), o argumento do *L'Etoile* pode permanecer com plena força; pois esse argumento não pretende envolver mais do que uma questão da probabilidade de o corpo ter ascendido à superfície em menos de três dias; e essa probabilidade continuará a favor da posição do *L'Etoile* até que esses casos aduzidos de modo tão pueril atinjam número suficiente para determinar uma regra antagônica.

"Você vai ver na mesma hora que todo argumento quanto a esse ponto deve ser dirigido, se o for, contra a própria regra; e, com esse fim, devemos examinar a racionalidade da regra. Ora, o corpo humano, de modo geral, não é muito mais leve nem tampouco muito mais pesado do que a água do Sena; ou seja, a gravidade específica do corpo humano, em sua condição natural, é mais ou menos igual ao volume de água doce que ele desloca. Os corpos de pessoas gordas e flácidas, com ossos pequenos, e os das mulheres, em geral, são mais leves do que os de pessoas magras e de ossos grandes, e do que os dos homens; e a gravidade específica da água de um rio é, em certa medida, influenciada pela presença da maré vinda do mar. Mas deixando a maré fora da discussão, pode-se dizer que pouquíssimos corpos humanos afundarão, mesmo na água doce, por si só. Praticamente qualquer um, caindo em um rio, será capaz de flutuar se suportar que a gravidade específica da água seja razoavelmente aduzida em comparação com a sua própria, ou seja, se suportar que toda a sua pessoa fique submersa com a mínima exceção possível. A posição apropriada para alguém que não sabe nadar é a postura ereta de quem caminha em terra, com a cabeça jogada inteiramente para trás, e imersa; somente a boca e as narinas permanecendo acima da superfície. Nessas circunstâncias, perceberemos que flutuamos sem dificuldade e sem esforço. Fica evidente, entretanto, que as gravidades do corpo e do volume de água deslocada são muito delicadamente equilibradas e que a coisa mais ínfima levará uma das duas a preponderar. Um braço, por exemplo, erguido da água, e desse modo privado de seu apoio, é um peso adicional suficiente para submergir a cabeça toda, enquanto uma ajuda acidental do menor pedaço de madeira nos possibilita elevar a cabeça o suficiente para olhar em torno. Bem, quando alguém desacostumado a nadar se debate na água, os braços são invariavelmente projetados para cima, conforme é feita uma tentativa de manter a cabeça em sua posição perpendicular usual. O resultado é a imersão da boca e das narinas, e a introdução, durante os esforços de respirar enquanto se está sob a superfície, de água nos pulmões. Grande parte vai parar também no estômago, e o corpo todo fica mais pesado com a diferença entre o peso do ar originalmente distendendo essas cavidades e o do fluido que agora as preenche. Essa diferença, via de regra, é suficiente para fazer o corpo afundar; mas é insuficiente nos casos de indivíduos com ossos pequenos e uma quantidade anormal de matéria flácida ou gorda. Tais indivíduos flutuam mesmo depois de afogados."

E Dupin prosseguiu:

– O cadáver, supondo-se que esteja no fundo do rio, permanecerá ali até que, de algum modo, sua gravidade específica, mais uma vez, torne-se menor do que a do volume de água que ele desloca. Esse efeito é ocasionado pela decomposição ou por algum outro meio. O resultado da decomposição é a geração de gás, dilatando os tecidos celulares e todas as cavidades, e proporcionando o aspecto inchado que é tão horrível. Quando essa dilatação progride a um ponto em que o volume do corpo está materialmente aumentado sem que haja um aumento correspondente de massa ou peso, sua gravidade específica se torna menor do que a da água deslocada, e o corpo, desse modo, surge à superfície. Mas a decomposição é modificada por inúmeras circunstâncias, é acelerada ou retardada por inúmeros agentes; por exemplo, pelo calor ou frio da estação, pela impregnação mineral ou pela pureza da água, por sua maior ou menor profundidade, por ser corrente ou estagnada, pela temperatura do corpo, por alguma infecção ou pela ausência de doença antes da morte. Assim, é evidente que não temos como indicar um período em que o cadáver deverá subir pela decomposição. Sob determinadas condições, esse resultado ocorreria em uma hora; sob outras, poderia nem ocorrer. Há infusões químicas mediante as quais a constituição animal pode ficar preservada para sempre da corrupção; o cloreto de mercúrio é uma delas. Mas, à parte a decomposição, pode haver, e normalmente há, uma geração de gás dentro do estômago, devido à fermentação acetosa de matéria vegetal (ou dentro de outras cavidades por outros motivos) suficiente para induzir uma dilatação que levará o corpo à superfície. O efeito produzido pelo disparo de um canhão é o de simples vibração. Isso pode soltar o corpo da lama macia ou do lodo no qual ele está atolado, permitindo assim que flutue quando outros agentes já o prepararam para fazê-lo; ou pode superar a tenacidade de algumas partes apodrecidas do tecido celular; permitindo que as cavidades dilatem sob a influência do gás.

"Tendo assim diante de nós toda a filosofia do assunto, podemos facilmente testar por meio dela as afirmações do *L'Etoile*. 'A experiência nesses casos', diz o jornal, 'mostra que corpos afogados, ou corpos jogados na água imediatamente após a morte violenta, exigem de seis a dez dias de suficiente decomposição até voltarem à superfície. Mesmo se um canhão houver sido disparado no ponto onde está um cadáver, e ele subir antes de pelo menos cinco ou seis dias de imersão, voltará a afundar se deixado à própria sorte'.

"Esse parágrafo agora deve parecer, em sua totalidade, um emaranhado de inconsequência e incoerência. A experiência não mostra que 'corpos afogados' exigem de seis a dez dias para que suficiente decomposição tenha lugar de modo a alçá-los à superfície. Tanto a ciência como a experiência mostram que o período para subir é, e deve necessariamente ser, indeterminado.

"Se, além do mais, um corpo emergiu devido ao disparo de um canhão, ele não 'voltará a afundar se deixado à própria sorte' até que a decomposição tenha progredido de tal modo a permitir o escape do gás gerado. Mas desejo chamar sua atenção para a distinção que é feita entre 'corpos afogados' e 'corpos jogados na água imediatamente após a morte violenta'. Embora o jornalista admita a distinção, ele mesmo assim inclui todos numa mesma categoria. Mostrei como acontece de o corpo de um homem afogado se tornar especificamente mais pesado do que o volume de água deslocado, e que ele não afundaria absolutamente, exceto pelas debatidas com que eleva os braços acima da superfície, e as tentativas de respirar quando está sob a superfície, tentativas que introduzem água no lugar do ar original, nos pulmões. Mas essa luta e essas tentativas não ocorreriam no corpo 'jogado na água imediatamente após a morte violenta'. Assim, nesse último exemplo, o corpo, via de regra, não afundaria absolutamente, fato que o *L'Etoile* evidentemente ignora. Quando a decomposição progrediu a um estado muito avançado, quando a carne em grande medida separou-se dos ossos; então, de fato, mas apenas então, deixaremos de ver o cadáver – concluiu meu amigo, que continuou:

– E agora o que pensar do argumento de que o corpo encontrado não podia ser o de Marie Rogêt porque, três dias apenas tendo transcorrido, esse corpo foi encontrado flutuando? Se afogada, sendo mulher, pode acontecer de nunca ter afundado; ou, tendo afundado, pode ter reaparecido em vinte e quatro horas, ou menos. Mas ninguém supõe que tenha se afogado; e, morrendo antes de ter sido jogada no rio, pode ter sido encontrada boiando em qualquer outro período posterior.

"'Mas', diz o *L'Etoile*, 'se o corpo tivesse sido mantido na margem em seu estado desfigurado até terça-feira à noite, algum vestígio dos assassinos teria sido encontrado na margem'. Aqui inicialmente é difícil perceber a intenção do jornal. Ele procura antecipar o que imagina ser uma possível objeção à sua teoria, a saber: de que o corpo foi mantido na margem por dois dias, sofrendo rápida decomposição, mais rápida do que se ficasse imerso na água. Supõe que, houvesse esse sido o caso, teria, talvez, vindo à tona na quarta-feira, e acha que somente sob tais circunstâncias poderia ter aparecido na superfície. Logo, ele se apressa em mostrar que o corpo não foi mantido na margem; pois, nesse caso, 'algum vestígio dos assassinos teria sido encontrado na margem'. Não existe meio pelo qual fazê-lo ver como a mera duração do corpo na margem seria capaz de agir para multiplicar os vestígios dos criminosos. Tampouco eu consigo ver.

"'*E, além do mais, é sumamente improvável*', continua nosso periódico, '*que algum vilão que houvesse cometido tal crime como o que se supõe aqui teria jogado o corpo sem lhe atar algum peso para afundá-lo, quando tal precaução poderia facilmente ter sido tomada*'. Observe, aqui, a risível confusão de pensamento! Ninguém, nem mesmo o *L'Etoile*, discute o assassinato cometido contra o corpo encontrado. As marcas da violência são demasiadamente óbvias. A intenção do nosso argumentador é meramente mostrar que aquele não é o corpo de Marie. Ele deseja provar que Marie não foi assassinada, não que o corpo não foi. Contudo, sua observação prova apenas o último ponto. Eis ali um cadáver sem um peso atado a ele. Os assassinos, ao atirá-lo à água, nunca teriam deixado de prendê-lo a um peso. Logo, não foi jogado pelos assassinos. Isso é tudo o que se provou, se é que alguma coisa foi provada. A questão da identidade não é sequer abordada e o *L'Etoile*, então, empenha-se com o maior afã em meramente negar o que admitiu apenas um momento antes: *'Estamos perfeitamente convencidos de que o corpo encontrado era o de uma mulher assassinada.'*

"E esse não é o único exemplo, mesmo nessa divisão de seu tema, em que nosso argumentador involuntariamente argumenta contra si mesmo. Seu objetivo evidente, como já disse, é reduzir, tanto quanto possível, o intervalo entre o desaparecimento de Marie e a descoberta do corpo. Contudo, vemos como insiste no ponto de que ninguém viu a moça a partir do instante em que deixou a casa de sua mãe. *'Não temos qualquer evidência de que Marie Rogêt estivesse no mundo dos vivos após às nove horas do domingo, 22 de junho.'* O jornal deveria, pelo menos, ter deixado esse ponto de fora, pois, caso aparecesse alguém que tivesse visto Marie, digamos na segunda, ou na terça, o intervalo em questão teria ficado muito reduzido e, por seu próprio raciocínio, a probabilidade muito diminuída de o corpo ser o da jovem. É, todavia, divertido observar que o *L'Etoile* insiste nesse ponto na plena crença de que favorece seu argumento geral.

"Reexamine agora essa parte do argumento que faz referência à identificação do corpo por Beauvais. Em relação aos cabelos no braço, o *L'Etoile* foi obviamente desonesto. Sr. Beauvais, não sendo um idiota, jamais teria frisado, numa identificação do cadáver, simplesmente cabelos no braço. Não existe braço sem cabelos. A generalidade com que o *L'Etoile* se expressou é uma mera deturpação da fraseologia da testemunha. Ele deve ter se referido a alguma peculiaridade nesses cabelos. Possivelmente uma peculiaridade de cor, quantidade, comprimento ou condições.

"'*Seu pé era pequeno*', afirma o jornal. Assim como milhares de pés. Sua liga também não constitui prova alguma, tampouco seu sapato, pois sapatos e ligas são vendidos em embalagens. O mesmo pode ser dito das flores em seu chapéu. Um dos pontos em que insiste fortemente Beauvais é de que a presilha da liga havia sido puxada para trás a fim de mantê-la no lugar. Isso não diz nada; pois a maioria das mulheres julga apropriado levar o par de ligas para casa e ajustá-las ao tamanho das pernas que irão cingir, em lugar de experimentá-las na própria loja onde as adquiriram. Aqui é difícil supor que o jornal esteja falando sério. Houvesse Beauvais, em sua procura pelo corpo de Marie, descoberto um corpo correspondendo em tamanho geral e aparência ao da moça desaparecida, seria justificável (sem fazer qualquer referência à questão do traje) formar a opinião de que sua busca fora frutífera. Se, além do detalhe de tamanho geral e contorno, ele houvesse encontrado no braço uma característica peculiar dos pelos que tivesse observado em Marie quando viva, sua opinião poderia ter ficado, com toda justiça, fortalecida; e o aumento da convicção poderia perfeitamente ter sido proporcional à peculiaridade, ou raridade, da marca peluda. Se os pés de Marie, sendo pequenos, e os do cadáver também fossem pequenos, o aumento da probabilidade de que o corpo era o de Marie não seria um aumento na proporção meramente aritmética, mas um de ordem elevadamente geométrica, ou acumulativa. Some-se a tudo isso sapatos como os que ela estivera sabidamente usando no dia de seu desaparecimento e, ainda que esses sapatos possam ser 'vendidos em embalagens', aumentamos nesse ponto a probabilidade de pender na direção da certeza. O que, em si mesmo, não seria qualquer evidência de identidade, torna-se, mediante sua posição corroborativa, a prova mais segura. Consideremos, então, as flores no chapéu como correspondendo às usadas pela garota desaparecida, e deixamos de procurar qualquer outra coisa. Se for apenas uma flor, não precisamos ir além – que dizer, de duas ou três, ou mais? Cada flor sucessiva é uma evidência múltipla – não prova adicionada à prova, mas multiplicada por centenas de milhares. Descobrindo-se agora, na falecida, ligas como as que a moça usava em vida, é quase loucura prosseguir. Mas como se viu, essas ligas estavam apertadas com um ajuste da presilha, exatamente como as da própria Marie haviam sido ajustadas por esta pouco antes de sair de casa. Nesse ponto é desatino ou hipocrisia duvidar.

"O que o *L'Etoile* diz com respeito a esse ajuste da liga ser uma ocorrência usual nada revela além de sua própria obstinação no erro. A natureza elástica da presilha da liga é em si uma demonstração da raridade do encurtamento. É inevitável que o que foi feito para se ajustar sozinho deve muito dificilmente exigir um ajuste alheio. Deve ter sido por algum acidente, em seu sentido estrito, que essas ligas de Marie precisaram do ajuste descrito. Só elas já teriam bastado amplamente para determinar sua identidade. Mas não pelo fato de o cadáver encontrado ter as ligas da moça desaparecida, ou os sapatos, ou seu chapéu, ou as flores de seu chapéu, ou seus pés, ou uma marca peculiar no braço, ou seu tamanho e aparência gerais, é o fato de o corpo ter cada uma dessas coisas, e todas coletivamente. Pudesse ser provado que o editor do *L'Etoile*, sob tais circunstâncias, alimentou de fato uma dúvida, não haveria necessidade, nesse caso, de uma autorização judicial – observou Dupin.

— Ele achou sagaz arremedar a conversa mole dos advogados, que, na maior parte, contentam-se em parodiar os preceitos quadrados dos tribunais. Eu observaria, aqui, que grande parte do que é rejeitado como evidência em um tribunal é a melhor das evidências para o intelecto. Pois o tribunal, pautando-se pelos princípios gerais da evidência, os princípios reconhecidos e registrados nos livros..., é avesso a guinadas perante casos particulares. E essa adesão firme ao princípio, com rigorosa desconsideração da exceção conflitante, é um modo seguro de atingir o máximo de verdade atingível, em qualquer longa sequência de tempo. A prática, em massa, é desse modo filosófica; mas não é menos certo que engendra vasto erro individual.

"Com respeito às insinuações dirigidas contra Beauvais, você de bom grado as descartará num piscar de olhos. Já teve oportunidade de sondar o verdadeiro caráter desse bom cavalheiro. Trata-se de um bisbilhoteiro, com mais romance do que juízo na cabeça. Qualquer um assim constituído prontamente se conduzirá, por ocasião de uma real comoção, de modo a se tornar sujeito a suspeitas por parte dos muitos argutos ou dos mal-intencionados. M. Beauvais (ao que parece de suas anotações) entreviu-se em algumas ocasiões com o editor do *L'Etoile*, e ofendeu-o aventando a opinião de que o corpo, não obstante a teoria do editor, era, sem a menor sombra de dúvida, o de Marie. *'Ele insiste em afirmar que o cadáver era o de Marie, mas é incapaz de fornecer uma particularidade, além daquelas sobre as quais já comentamos, para fazer com que os outros acreditem.'* — diz o jornal. Ora, sem voltar a aludir ao fato de que uma forte evidência 'para fazer com que os outros acreditem' jamais poderia ter sido aduzida, vale observar que um homem pode perfeitamente partilhar de uma crença, num caso dessa espécie, sem ser capaz de apresentar uma única razão para que uma segunda parte nela também acredite. Nada é mais vago que as impressões de identidade individual. Todo homem reconhece seu próximo, contudo, há poucas situações em que a pessoa está preparada para dar um motivo para esse reconhecimento. O editor do *L'Etoile* não tinha o menor direito de se ofender com a crença ilógica de Beauvais.

"Poderá ver que as circunstâncias suspeitas que o envolvem se casam muito melhor com minha hipótese de bisbilhotice romântica do que com a insinuação de culpa que faz o jornal. Uma vez adotada a interpretação mais benevolente, não encontraremos dificuldade em compreender a rosa no buraco de fechadura; o 'Marie' sobre a lousa; os homens da família tirados do caminho; a relutância em que os parentes vissem o corpo; a advertência feita a Sra. B... de que não deveria empreender qualquer conversa com o gendarme até seu regresso (Beauvais); e, por último, sua aparente determinação de que 'ninguém deveria ter qualquer envolvimento com os procedimentos a não ser ele mesmo'. Parece-me inquestionável que Beauvais era um pretendente de Marie; que ela flertava com ele; e que ele ambicionava dar a entender que gozava de toda sua intimidade e confiança. Nada mais direi a esse respeito; e, na medida em que os testemunhos refutam completamente as alegações do *L'Etoile*, no tocante à questão da apatia por parte da mãe e dos demais parentes, apatia inconsistente com a suposição de acreditarem ser aquele corpo o da moça da perfumaria, devemos, agora, passar a ver se a questão da identidade foi resolvida de modo certamente satisfatório para nós."

Eu perguntei nesse momento:

— E o que pensa você sobre as opiniões do *Le Commercial*?

— Que, em espírito, são, de longe, muito mais dignas de atenção que quaisquer outras já aventadas sobre o assunto. As deduções a partir das premissas são filosóficas e perspicazes. Mas as premissas, em dois casos, pelo menos, estão fundamentadas na observação imperfeita. O *Le Commercial* acha que Marie foi capturada por alguma gangue de desdenhosos vadios não muito longe da porta de sua mãe: 'É impossível que uma pessoa tão bem conhecida por milhares, como era essa jovem, tenha transposto três quadras sem que ninguém a tenha visto.' Essa é a ideia de um homem residindo há muito tempo em Paris, um homem público, e um cujas caminhadas pela cidade têm se limitado, na maior parte, às vizinhanças dos prédios públicos. Ele tem consciência de que dificilmente ele chega a percorrer uma dúzia de quadras de seu próprio bureau sem ser reconhecido e abordado. E, sabedor da extensão de sua própria familiaridade com os outros, e dos outros consigo, compara sua notoriedade com a da moça da perfumaria, não vê grande diferença entre os dois e chega na mesma hora à conclusão de que ela, em suas caminhadas, seria igualmente sujeita a reconhecimento como ele o é nas suas. Esse só poderia ser o caso se os trajetos dela fossem sempre do mesmo caráter invariável, metódico, e restritos ao mesmo tipo de área delimitada que os dele.

"Ele vai e vem, a intervalos regulares, no interior de um perímetro limitado, repleto de indivíduos que são induzidos a observá-lo pelo interesse que a natureza análoga da ocupação do jornalista com as deles próprios desperta. Mas devemos supor que as caminhadas de Marie sejam, em geral, erráticas. Nesse caso, em particular, entende-se, como o mais provável, que ela tenha seguido um trajeto com variação em média maior do que de costume. O paralelo que imaginamos ter existido na cabeça do *Le Commercial* se sustentaria apenas na eventualidade de dois indivíduos cruzando a cidade toda. Nesse caso, admitindo-se que as relações pessoais sejam iguais, as chances também seriam iguais de que um igual número de encontros pessoais ocorresse. De minha parte, sustento ser não só possível, como também muito mais do que provável, que Marie pode ter seguido, a qualquer hora dada, por qualquer um dos inúmeros trajetos entre sua própria residência e a de sua tia, sem encontrar um único indivíduo que conhecesse, ou de quem fosse conhecida. Ao ver essa questão sob sua luz plena e apropriada, devemos ter, com firmeza em mente, a grande desproporção entre os conhecidos pessoais até mesmo do indivíduo mais notado de Paris e a população inteira da própria cidade.

"Mas seja qual for a eloquência que aparentemente ainda exista na insinuação do *Le Commercial*, ela ficará grandemente diminuída quando levarmos em consideração a hora em que a moça saiu. 'Foi no momento em que as ruas estavam cheias de gente', diz o Le Commercial, 'que ela saiu.' Mas não foi assim. Eram nove horas da manhã. Ora, às nove horas de qualquer dia da semana, com exceção de domingo, as ruas da cidade estão, de fato, repletas de gente. Às nove horas de uma manhã dominical, a população se encontra na maior parte dentro de casa, preparando-se para ir à igreja. Nenhuma pessoa observadora terá deixado de notar o ar peculiarmente deserto da cidade entre cerca de oito e dez da manhã todo domingo. Entre as dez e onze, as ruas ficam cheias, mas não em um horário tão cedo como o que foi indicado.

"Há um outro ponto no qual parece haver uma falha de observação por parte do Le Commercial, ao afirmar que 'um pedaço de uma das anáguas da infeliz garota, com sessenta centímetros de comprimento e trinta de largura, foi arrancado e amarrado sob seu queixo e em torno da nuca, provavelmente para impedir que gritasse. Isso foi feito por sujeitos que não carregam lenços de bolso'. Se essa ideia está ou não bem fundamentada é algo que nos empenharemos em ver mais adiante; mas por 'sujeitos que não carregam lenços de bolso', o jornalista entende a mais baixa classe de rufiões. Estes, entretanto, pertencem exatamente ao gênero de pessoas que sempre carregam consigo algum lenço, mesmo quando destituídos de camisa. Você já deve ter tido ocasião de observar quão absolutamente indispensável, em anos recentes, para esses rematados meliantes, tem se constituído o lenço de bolso."

Então, perguntei:

– E o que devemos pensar do artigo no Le Soleil?

– É uma pena que seu redator não tenha nascido papagaio, nesse caso, ele teria sido o mais ilustre papagaio de sua raça. Ele tem meramente repetido os itens individuais da opinião já publicada; coligindo-as, com louvável diligência, ora desse jornal, ora daquele. Afirma que 'os objetos estavam todos evidentemente ali, havia pelo menos três ou quatro semanas, e não pode haver dúvida, portanto, de que o lugar dessa macabra barbaridade foi encontrado'. Os fatos aqui reafirmados pelo Le Soleil estão realmente muito longe de eliminar minhas dúvidas quanto a esse assunto e iremos dentro em breve examiná-los com maiores particularidades em suas conexões com outra parte do assunto.

"No presente momento, devemos nos ocupar de outras investigações. Decerto você não deixou de observar a extrema negligência no exame do cadáver. Naturalmente, a questão da identidade foi prontamente determinada, ou deveria ter sido; mas havia outros pontos a serem verificados. Acaso o corpo foi, em algum aspecto, furtado? A vítima usava algum artigo de joalheria ao sair de casa? Se usava, continuava com alguma joia ao ser encontrada? Essas são questões centrais absolutamente não abordadas nos testemunhos; e há outras de igual importância, que não receberam atenção alguma. Devemos nos empenhar em nos satisfazer mediante uma investigação pessoal. O caso de St. Eustáquio deve ser reexaminado. Não alimento a menor suspeita em relação a ele; mas procedamos com método. Vamos averiguar, além da dúvida, a validade da declaração juramentada referente ao seu paradeiro no domingo. Documentos dessa espécie são facilmente tornados objeto de mistificação. Se nada de errado se apresentar aí, entretanto, descartaremos St. Eustáquio de nossas averiguações. Seu suicídio, por mais corroborante de suspeita que fosse o caso se descobrisse alguma falsidade no depoimento, de modo algum constitui, sem tal falsidade, circunstância inexplicável, ou uma a exigir que nos desviemos da linha da análise ordinária.

"Nisso que agora proponho, negligenciaremos os pontos internos dessa tragédia, e focaremos nossa atenção em seus detalhes periféricos. Não é o menor dos erros, em investigações como essa, restringir o escopo ao imediato, com total desprezo dos eventos colaterais ou circunstanciais. É o mau costume dos tribunais confinar a apresentação de provas e a argumentação aos limites da aparente relevância. Contudo, a experiência mostrou, e uma verdadeira filosofia sempre mostrará, que uma vasta parte da verdade, talvez a maior, surge do que é aparentemente irrelevante. É por meio do espírito desse princípio, quando não precisamente por meio de sua letra, que a ciência moderna tem optado por calcular com base no imprevisto. Mas talvez eu não esteja me fazendo compreender. A história do conhecimento humano tem tão ininterruptamente mostrado que a eventos colaterais, incidentais ou acidentais, devemos as descobertas mais numerosas e valiosas, que acabou se tornando necessário, em qualquer visão em perspectiva do aperfeiçoamento, conceder não apenas vultosos, mas os mais vultosos subsídios para invenções que surgirão por acaso, e completamente fora do alcance da expectativa comum. Já não é mais filosófico basear no que foi uma visão do que será. O acidente é admitido como parte da subestrutura. Fazemos do acaso matéria de cálculo absoluto. Sujeitamos o inesperado e o inimaginável às fórmulas matemáticas das escolas.

"Repito que isso nada mais é que um fato, que a porção mais ampla de toda verdade brota do que é colateral; e não é senão de acordo com o espírito do princípio implicado neste fato que eu desviaria a investigação, no presente caso, do terreno repisado e até aqui infrutífero do próprio evento em si para as circunstâncias contemporâneas que o cercam. Enquanto você verifica a validade do depoimento juramentado, examinarei os jornais de um modo mais geral do que fez até agora. Até o momento, inspecionamos apenas o campo de investigação; mas será de fato estranho se um levantamento abrangente dos periódicos, tal como proponho, não nos proporcionar alguns pontos minuciosos que irão determinar uma direção para o inquérito."

Seguindo a sugestão de Dupin, procedi a um escrupuloso exame da questão do documento. O resultado foi a firme convicção de sua validade, e da consequente inocência de St. Eustáquio. Nesse meio-tempo, meu amigo se ocupou, com o que parecia ser uma minúcia absolutamente sem propósito, em um escrutínio dos vários jornais arquivados. Ao final da semana, pôs diante de mim os seguintes trechos:

"Cerca de três anos e meio atrás, uma agitação muito semelhante à presente foi causada pelo desaparecimento dessa mesma Marie Rogêt da perfumaria do Sr. Le Blanc no Palais Royal. Ao final de uma semana, entretanto, ela reapareceu em seu balcão costumeiro, tão bem como sempre, com exceção de uma ligeira palidez não inteiramente normal. Foi dito por Sr. Le Blanc e sua mãe que ela havia meramente visitado uma amiga no campo; e o assunto foi prontamente encerrado. Presumimos que a presente ausência seja um capricho da mesma natureza e que, ao expirar-se o prazo de uma semana, ou talvez um mês, teremos sua presença entre nós mais uma vez." Jornal vespertino, segunda-feira, 23 de junho.

"Um jornal vespertino de ontem faz referência a um anterior desaparecimento misterioso de Mademoiselle Rogêt. É bem sabido que, durante a semana de sua ausência da perfumaria de Le Blanc, encontrava-se na companhia de um jovem oficial da marinha, muito afamado por seu comportamento dissoluto. Uma briga, supõe-se, providencialmente levou a

jovem a voltar para casa. Sabemos o nome do casanova em questão, que, no presente momento, encontra-se aquartelado em Paris, mas, por motivos óbvios, abstemo-nos de torná-lo público." Le Mercurie, terça-feira, 24 de junho.

"Uma barbaridade do caráter mais atroz foi perpetrada perto desta cidade anteontem. Um cavalheiro, acompanhado de esposa e filha, requereu, ao fim do dia, os serviços de seis rapazes que remavam ociosamente um bote entre uma e outra margem do Sena, para que os transportassem até o outro lado do rio. Ao chegarem na margem oposta, os três passageiros desembarcaram e já haviam se distanciado a ponto de perder o bote de vista quando a filha percebeu que esquecera a sombrinha. Ao voltar para recuperá-la, foi dominada pela gangue, levada pelo rio, amordaçada, brutalizada e finalmente conduzida de volta à margem num ponto não muito longe daquele onde originalmente subira a bordo com seus pais. Os vilões acham-se fugidos no momento, mas a polícia está em seu rastro, e alguns deles em breve serão capturados." Jornal Matutino, 25 de junho.

"Recebemos uma ou duas missivas cujo propósito é ligar o crime da recente atrocidade a Mennais [Mennais foi um dos envolvidos originalmente considerado suspeito e detido, mas solto por absoluta falta de evidência]; mas como esse cavalheiro foi plenamente exonerado por uma investigação legal, e como os argumentos de nossos diversos correspondentes parecem exibir mais fervor do que profundidade, não julgamos aconselhável torná-las públicas." Jornal Matutino, 28 de junho.

"Temos recebido diversas missivas veementemente redigidas, ao que parece, de fontes variadas, e que interpretam em grande medida como coisa certa que a desafortunada Marie Rogêt foi vítima de um dos inúmeros bandos de meliantes que infestam os arredores da cidade aos domingos. Nossa própria opinião é decididamente a favor dessa suposição. Daqui por diante vamos nos empenhar em expor alguns desses argumentos." Jornal Vespertino, terça-feira, 31 de junho.

"Na segunda-feira, um dos balseiros empregados no serviço fiscal avistou um bote vazio flutuando pelo Sena. As velas estavam no fundo do barco. O balseiro rebocou-o à administração das barcaças. Na manhã seguinte, alguém o levou dali sem ser visto por nenhum dos funcionários. O leme encontra-se nesse momento na administração das barcaças." Le Diligence, quinta-feira, 26 de junho."

Depois de ler esses vários trechos, eles não só me pareceram irrelevantes, como também fui incapaz de perceber um modo pelo qual qualquer um deles poderia se aplicar ao assunto em questão. Aguardei alguma explicação de Dupin, que disse:

— No presente momento não tenho a intenção de deter-me no primeiro e no segundo desses excertos. Eu os copiei principalmente para mostrar o extremo desleixo das autoridades, que, até onde posso depreender pelo chefe de polícia, não se deram o trabalho, em nenhum aspecto, de proceder a um exame do oficial naval ao qual se aludiu. Contudo, não passa de mera insensatez dizer que entre o primeiro e o segundo desaparecimento de Marie não existe qualquer ligação presumível. Vamos admitir que a primeira fuga tenha terminado em uma briga entre os enamorados, e na volta para casa da moça desiludida. Estamos agora preparados para entender uma segunda fuga (se sabemos que uma fuga, mais uma vez, teve lugar) como indicativa de uma renovação dos avanços do sedutor, mais do que como resultado de novas propostas feitas por um segundo indivíduo – estamos preparados para encarar isso como 'as pazes' de um velho amor, mais do que como o início de um novo. As chances são de dez contra um de que aquele que fugira com Marie propusesse uma nova fuga, maiores do que as chances de ela receber essas mesmas propostas de um outro indivíduo. E, aqui, deixe-me chamar sua atenção para o fato de que o tempo transcorrido entre a primeira fuga e a segunda suposta fuga é de alguns meses mais do que o período geral de cruzeiro de nossas belonaves. Teria sido o enamorado interrompido em sua primeira vilania pela necessidade de se fazer ao mar, e teria aproveitado o primeiro momento de seu regresso para retomar as vis intenções ainda não inteiramente consumadas, ou ainda não inteiramente por ele consumadas? Disso tudo, nada sabemos.

"Dirá você, entretanto, que, no segundo caso, não houve fuga alguma, tal como imaginado. Decerto não, mas estamos preparados para afirmar que não houve intenção frustrada? À parte St. Eustáquio, e talvez Beauvais, não encontramos nenhum pretendente reconhecido, declarado ou honrado de Marie. De nenhum outro há qualquer coisa sendo dita. Quem, então, é o enamorado secreto, de quem os parentes (pelo menos a maioria deles) nada sabem, mas com quem Marie se encontrou na manhã de domingo, e que goza tão profundamente de sua confiança que ela não hesita em permanecer em sua companhia até o cair das sombras noturnas, em meio aos solitários bosques da Barreira Roule? Quem é esse amante secreto, pergunto, a respeito de quem, pelo menos, a maioria dos parentes nada sabe? E qual é o significado da singular profecia de Sra. Rogêt na manhã em que Marie partiu? *'Receio que nunca mais verei Marie outra vez'.*

"Se não imaginamos a Sra. Rogêt a par do plano de fuga, não podemos ao menos supor que essa fosse a intenção acalentada pela moça? Ao sair de casa, ela deu a entender que pretendia visitar a tia na Rue des Drômes, e St. Eustáquio foi solicitado a buscá-la após escurecer. Ora, a um primeiro olhar, esse fato depõe fortemente contra a minha sugestão; – mas reflitamos. Que ela, de fato, encontrou-se com alguém, e prosseguiu com ele até o outro lado do rio, chegando à Barreira Roule já bem tarde, às três horas, é sabido. Mas ao consentir em acompanhar esse indivíduo (com seja lá que propósito, conhecido ou ignorado por sua mãe), deve ter pensado na intenção que expressara ao sair de casa, e na surpresa e desconfiança suscitada no peito daquele a quem estava prometida, St. Eustáquio, quando, indo à sua procura, na hora designada, na Rua des Drômes, viesse a descobrir que ela não aparecera por lá, e quando, além do mais, ao voltar à pensão com sua alarmante informação, viesse a tomar consciência de sua prolongada ausência de casa. Ela deve ter pensado nessas coisas, repito. Deve ter previsto a mortificação de St. Eustáquio, a desconfiança de todos. Não poderia ter pensado em voltar para confrontar essa desconfiança; mas a desconfiança se torna um ponto de trivial importância para ela se supomos que não pretendia voltar.

"Podemos imaginá-la pensando assim: 'Vou encontrar determinada pessoa com o propósito de fugir, ou com determinados outros propósitos conhecidos apenas por mim mesma. É necessário que não haja qualquer oportunidade de interrupção. Devemos ter tempo suficiente para nos esquivar de qualquer busca. Darei a entender que vou visitar e passar o dia em minha tia na rua des Drômes. Pedirei a St. Eustáquio que só venha me buscar ao escurecer. Desse modo, minha ausência de casa pelo mais longo período possível, sem causar desconfiança ou ansiedade, ficará explicada, e ganharei mais tempo do que de qualquer outra maneira. Se peço a St. Eustáquio para me buscar ao escurecer, ele com certeza não virá antes disso; mas se me omitir por completo de pedir que venha me buscar, meu tempo de fuga ficará reduzido, uma vez que seria de se esperar meu regresso o quanto antes, e minha ausência despertará ansiedade mais cedo. Ora, se fosse minha intenção voltar de um modo ou de outro, se estivesse contemplando meramente um passeio com o indivíduo em questão, não seria minha estratégia pedir que St. Eustáquio fosse ao meu encontro, pois, ao buscar-me, ele certamente perceberia que o enganei. Posso mantê-lo para sempre na ignorância, saindo de casa sem notificá-lo de minha intenção, voltando antes de escurecer e depois afirmando que visitara minha tia na rua des Drômes. Mas como é minha intenção jamais regressar, ou não regressar por algumas semanas, ou pelo menos não até que certos acobertamentos sejam efetuados, o ganho de tempo é o único ponto sobre o qual preciso me preocupar'.

"Como você observou em suas anotações, a opinião mais geral acerca desse triste episódio é, e sempre foi desde o início, a de que a garota havia sido vítima de uma gangue de meliantes. Ora, a opinião popular, sob certas condições, não deve ser desprezada, quando surgida por si mesma ou se manifestando de um modo estritamente espontâneo. Devemos olhar para ela como análoga a essa intuição que é a idiossincrasia do homem de gênio individual. Em noventa e nove de cada cem casos eu me posicionaria pelo que ela decidir. Mas é importante não encontrarmos o menor vestígio palpável de sugestão. A opinião deve ser, rigorosamente, apenas do público; e a distinção é muitas vezes sumamente difícil de perceber e de manter. No presente caso, parece-me que essa 'opinião pública' em relação a uma gangue foi introduzida pelo evento colateral que está detalhado no terceiro de meus excertos. Toda Paris ficou agitada com a descoberta do cadáver de Marie, uma moça jovem, muito bonita e conhecida. Esse corpo foi encontrado exibindo marcas de violência e boiando no rio. Mas é depois divulgado que, nesse mesmo período, ou por volta desse mesmo período, em que se supõe que a garota foi assassinada, uma barbaridade de natureza similar à que se submeteu a falecida, embora em menor extensão, foi perpetrada por uma gangue de jovens rufiões contra a pessoa de uma segunda jovem. Não é extraordinário que uma atrocidade conhecida influencie o juízo popular em relação à outra, desconhecida? Esse juízo aguardava uma orientação, e a conhecida barbaridade pareceu tão oportunamente concedê-la! Marie, também, foi encontrada no rio; e foi precisamente nesse rio que a barbaridade de que se tem conhecimento foi cometida. A ligação entre os dois eventos teve tanto de palpável que o verdadeiro motivo de espanto teria sido a população deixar de percebê-la e dela se apoderar. Mas, na verdade, uma atrocidade, reconhecidamente admitida como tal, é, se alguma coisa for, evidência de que a outra, cometida em um período quase coincidente, não o foi. Teria sido um milagre, de fato, se enquanto uma gangue de rufiões perpetrava, em uma dada localidade, uma iniquidade das mais ultrajantes, tivesse havido outra gangue similar, em uma localidade similar, na mesma cidade, sob as mesmas circunstâncias, com os mesmos meios e instrumentos, envolvida em iniquidade precisamente do mesmo aspecto, precisamente no mesmo período de tempo! E, contudo, em que, senão nessa maravilhosa cadeia de coincidências, a opinião acidentalmente sugestionada do populacho espera que acreditemos?

"Antes de ir mais além, consideremos a suposta cena do assassinato, em meio à moita da Barrière du Roule. Essa moita, embora densa, ficava bem nas proximidades de uma estrada pública. Dentro havia três ou quatro grandes pedras, formando uma espécie de banco com encosto e escabelo. Na pedra de cima foi encontrada uma anágua branca; na segunda, um lenço de seda. Uma sombrinha, luvas e um lenço de bolso também foram encontrados. O lenço portava o nome 'Marie Rogêt'. Fragmentos de vestido foram vistos nos galhos em volta. A terra estava revolvida, os arbustos, quebrados, e havia sinais de uma violenta luta.

"Apesar da aclamação com que a descoberta dessa moita foi recebida pela imprensa, e a unanimidade com que se imaginava que indicaria a precisa cena da barbaridade, deve-se admitir que havia um motivo muito bom para dúvida. Se foi, de fato, esta a cena, posso tanto acreditar como não, mas havia um excelente motivo para dúvida. Se a verdadeira cena tivesse sido, como sugeriu o *Le Commercial*, nos arredores da rua *Pavée Saint Andrée*, os perpetradores do crime, supondo que ainda residam em Paris, teriam naturalmente sido tomados de pânico com a atenção pública, desse modo, tão agudamente direcionada para o canal apropriado; e, em certas classes de mente, isso teria suscitado, na mesma hora, uma percepção da necessidade de empreender alguma diligência para desviar a atenção. E assim, a moita na Barrière du Roule tendo já levantado suspeitas, a ideia de plantar os objetos onde foram encontrados pode naturalmente ter sido engendrada. Não existe qualquer evidência genuína, embora o *Le Soleil* assim o suponha, de que os objetos encontrados estivessem mais que uns poucos dias na moita; ao passo que há bastante prova circunstancial de que não podiam ter permanecido ali, sem atrair a atenção, durante os vinte dias transcorridos entre o domingo fatídico e a tarde em que foram descobertos pelos meninos. *'Estavam todos fortemente embolorados'*, diz o *Le Soleil*, adotando a opinião de seus predecessores, *'pela ação da chuva, e colados com o bolor. A relva crescera em volta e cobrira alguns deles. A seda da sombrinha era resistente, mas as fibras haviam grudado por dentro. A parte de cima, onde ela fora fechada e enrolada, estava toda embolorada e podre, e rasgou quando aberta.'* Em relação ao fato de que *'a relva crescera em volta e cobrira alguns deles'*, é óbvio que o fato só poderia ter sido atestado com base nas palavras, e nas lembranças, de dois meninos pequenos; pois esses meninos removeram os objetos e os levaram para casa antes de serem vistos por uma terceira parte. Mas a relva pode crescer, principalmente no tempo quente e úmido (tal como era o período do assassinato), até cerca de seis ou sete centímetros num único dia. Uma sombrinha caída sobre um solo de grama viçosa pode, numa semana, ficar inteiramente ocultada da vista pela relva que cresceu. E no tocante ao bolor em que o editor do *Le Soleil* tão obstinadamente insiste, de tal modo que emprega a palavra não menos que três vezes no parágrafo citado acima, acaso será ele realmente ignorante da natureza desse bolor? Ninguém lhe contou que pertence a uma das inúmeras classes de fungos, dos quais a característica mais ordinária é o crescimento e a decadência no intervalo de vinte e quatro horas?

"Desse modo, vemos, num rápido olhar, que o que foi mais triunfantemente exemplificado em sustentação à ideia de que os objetos haviam estado ali *'por pelo menos três ou quatro semanas'* na moita é da mais absurda nulidade com relação a qualquer evidência do fato. Por outro lado, é sumamente difícil crer que esses objetos tenham permanecido na referida moita por um período mais prolongado do que uma única semana — por um período mais longo do que o de um domingo até o seguinte. Qualquer um minimamente informado sobre os arredores de Paris sabe a extrema dificuldade de se encontrar isolamento, a não ser a uma grande distância dos subúrbios. Algo como um recanto inexplorado, ou mesmo visitado com pouca frequência, em meio a seus bosques e arvoredos, não é sequer por um instante algo imaginável. Que o tente qualquer um que, sendo no íntimo um amante da natureza, ainda que agrilhoado pelo dever à poeira e ao calor dessa grande metrópole – que qualquer um nessas condições tente, mesmo durante dias úteis, aplacar sua sede de solidão em meio aos cenários adoráveis da natureza que nos cercam. A cada dois passos ele verá seu crescente encanto desmanchado pela voz e a intrusão pessoal de algum rufião ou bando de patifes embriagados. Ele buscará privacidade em meio às densas folhagens, mas em vão. São aí precisamente os esconderijos onde mais alastra essa ralé – aí estão os templos mais profanados. Com o coração apertado, nosso transeunte voltará correndo para a poluída Paris como sendo um lugar menos odioso por ser um menos incongruente antro de poluição. Mas se os arredores da cidade são de tal modo perturbados durante os dias úteis da semana, o que não dizer do domingo! É especialmente então que, libertados das obrigações do trabalho, ou privados das costumeiras oportunidades de crime, os meliantes urbanos buscam as vizinhanças da cidade, não por amor ao meio rural, coisa que no íntimo desprezam, mas como um modo de escapar das restrições e convenções da sociedade. Eles desejam menos o ar fresco e as verdes árvores do que a completa licenciosidade do campo. Aqui, numa estalagem de beira de estrada, ou sob a folhagem do arvoredo, entregam-se, sem a restrição de qualquer olhar, exceto o de seus companheiros de pândega, a todos os descontrolados excessos de um arremedo de hilaridade, a cria combinada da liberdade e do rum. Não digo nada além do que já deve ser óbvio para qualquer observador desapaixonado quando repito que a circunstância de os objetos em questão terem permanecido sem ser descobertos por um período mais longo do que o de um domingo a outro em qualquer moita nos imediatos arredores de Paris precisa ser encarado como pouco mais que miraculoso.

"Mas não necessitam de outros fundamentos para a suspeita de que os objetos foram plantados na moita com vistas a desviar o olhar da verdadeira cena da barbaridade. E, antes de mais nada, deixe-me dirigir sua atenção para a data em que os objetos foram descobertos. Compare essa data com a do quinto excerto por mim separado dos jornais. Vai perceber que a descoberta se sucedeu, quase imediatamente, às insistentes missivas enviadas ao jornal vespertino. Essas missivas, embora variadas, e aparentemente oriundas de várias fontes, tendiam todas ao mesmo ponto — a saber, direcionar a atenção a uma gangue como sendo os perpetradores dessa barbaridade e à área da Barreira Roule como sendo sua cena. Ora, aqui, é claro, a suspeita não é a de que, em consequência dessas missivas, ou da atenção pública por elas direcionadas, os objetos tenham sido encontrados pelos meninos; mas a suspeita pode e deve ser de que os objetos não tenham sido encontrados antes pelos meninos pelo motivo de que os objetos não estavam antes na moita; tendo sido depositados ali somente em um período posterior, como na data das missivas, ou pouco antes disso, pelos autores dessas missivas, os culpados.

"Essa moita era singular, sobremaneira singular. Era incomumente densa. Entre suas paredes naturais havia três pedras extraordinárias, formando um banco com encosto e escabelo. E essa moita, tão cheia de arte natural, ficava na imediata vizinhança, a não muitos metros, da residência de Sra. Deluc, cujos meninos tinham por hábito examinar detidamente os arbustos em torno à procura da casca do sassafrás. Acaso seria uma aposta insensata — uma aposta de mil contra um — crer que nem um dia sequer se passasse sobre a cabeça desses meninos sem dar com pelo menos um deles acomodado à sombra desse salão e entronizado em seu trono natural? E quem numa aposta dessas hesitasse, ou nunca foi menino, ou se esqueceu de como é a natureza dos meninos. Repito: é sobremaneira difícil compreender como os objetos podiam ter permanecido nessa moita sem serem descobertos por um período maior do que um ou dois dias; e desse modo há uma boa base para suspeitar, a despeito da dogmática ignorância do *Le Soleil*, que foram, em data comparativamente recente, deixados no local de sua descoberta.

"Mas há ainda outros motivos, mais fortes do que qualquer outro até aqui enfatizado, para acreditar que foram desse modo deixados. E agora, permita-me chamar sua atenção para a disposição amplamente artificial dos objetos. Na pedra de cima havia uma anágua; na segunda uma echarpe de seda; espalhados em torno, uma sombrinha, luvas e um lenço de bolso exibindo o nome 'Marie Rogêt'. Esse é o tipo de arranjo que teria sido naturalmente feito por uma pessoa não muito inteligente tentando dispor os itens naturalmente. Mas não é de modo algum um arranjo realmente natural. Eu teria esperado antes ver os objetos todos caídos no chão e pisoteados. No estreito confinamento daquele caramanchão, dificilmente teria sido possível que a echarpe e a anágua fossem parar sobre as pedras, quando sujeitadas ao contato repetido de muitas pessoas em luta. Foi dito que *'havia sinais de uma luta; e a terra estava pisoteada, e os galhos, quebrados, mas a anágua e a echarpe são encontrados como que arrumados em prateleiras. Os pedaços de seu vestido arrancados pelos arbustos tinham cerca de oito centímetros de largura e quinze de comprimento. Uma parte era a bainha do vestido, que fora remendada; a outra peça era parte da saia, não a bainha. Pareciam tiras arrancadas'.* Aqui, inadvertidamente, o *Le Soleil* empregou uma expressão muito suspeita. Os pedaços, como descrito, de fato *'parecem tiras arrancadas'*; mas propositalmente, e com a mão. É acidente dos mais raros que um pedaço seja 'arrancado' de qualquer peça de vestuário tal como essa em questão pela ação de um espinho. Pela própria natureza de tais tecidos, um espinho ou prego neles enganchando os rasga de maneira retangular — divide-os em duas faixas longitudinais, em ângulos retos uma com a outra, e convergindo para um vértice onde entra o espinho — mas dificilmente será possível conceber um pedaço sendo 'arrancado'. Nunca vi tal coisa, você tampouco. Para arrancar um pedaço de tecido assim, duas forças distintas e em diferentes direções serão, praticamente em qualquer situação, exigidas. Se houver duas extremidades no tecido — se, por exemplo, for um lenço de bolso, e se se desejar dele arrancar uma tira, então, e somente então, uma única força servirá ao propósito. Mas no presente caso, a questão é de um vestido, que não exibe senão uma extremidade. Arrancar um pedaço da parte interna, onde nenhuma extremidade se apresenta, só poderia ser efetuado por milagre com a ação de espinhos, e nenhum espinho isolado o teria feito. Mas, mesmo onde uma extremidade se apresenta, dois espinhos serão necessários, operando um em duas direções distintas, e o outro em uma. E isso na suposição de que a extremidade não tem bainha. Se houver bainha, é praticamente um assunto fora de questão. Vemos assim os diversos e grandes obstáculos nessa história de pedaços 'arrancados' pela simples ação de 'espinhos'; contudo, é exigido acreditar que não só um pedaço, como também muitos foram desse modo arrancados. *'E uma parte'*, além disso, *'era a bainha do vestido!'* Outro pedaço era *'parte da saia, não a bainha'* – ou seja, foi completamente arrancado por ação dos espinhos na parte interna do vestido, não a partir de nenhuma extremidade! Essas, repito, são coisas em que facilmente se perdoará a descrença; contudo, tomadas em conjunto, formam, talvez, uma base para suspeita menos razoável do que a surpreendente circunstância de os objetos terem sido deixados ali naquela moita por eventuais assassinos precavidos o bastante para pensar em remover o corpo. Mas você não terá compreendido direito onde quero chegar se supuser que é meu intento desacreditar essa moita como a cena da barbaridade. Pode ter ocorrido algum delito ali, ou, mais possivelmente, um acidente na casa de Sra. Deluc. Mas, na verdade, essa é uma questão de menor importância. Não estamos empenhados em tentar descobrir a cena, mas em achar os perpetradores do crime. O que aduzi, não obstante o detalhamento de minhas aduções, foi com vistas a, primeiro, mostrar a insensatez das afirmações confiantes e precipitadas do *Le Soleil*, mas, em segundo e sobretudo, conduzi-lo, pela rota mais natural, a uma mais aprofundada contemplação da dúvida quanto a se esse assassinato foi ou não obra de uma gangue.

"Retomaremos essa questão meramente aludindo aos revoltantes detalhes do cirurgião consultado na investigação. É necessário dizer apenas que as inferências dele publicadas em relação ao número de rufiões têm sido apropriadamente ridicularizadas como errôneas e totalmente infundadas por todos os anatomistas de reputação em Paris. Não que o caso não poderia ter sido como o inferido, mas por não haver base para a inferência: não havia bastante para uma outra?

"Reflitamos agora quanto aos 'sinais de luta'; e deixe-me perguntar o que se supõe que esses indícios tenham demonstrado. Uma gangue. Mas não demonstram eles, antes, a ausência de uma gangue? Que luta poderia ter tido lugar — que luta tão violenta e tão demorada a ponto de ter deixado seus 'sinais' em todas as direções — entre uma jovem fraca e indefesa e a gangue de rufiões imaginada? A silenciosa ação de uns poucos braços rudes e tudo estaria terminado. A vítima teria se mostrado inteiramente passiva sob a vontade deles. Tenha em mente que os argumentos enfatizados contra a moita como cena são aplicáveis, na maior parte, apenas contra o lugar como cena de uma barbaridade cometida por mais que um único indivíduo. Se imaginamos apenas um transgressor, podemos conceber, e apenas assim conceber, uma luta de natureza tão violenta e obstinada a ponto de ter deixado 'sinais' aparentes.

"E volto a repetir. Já mencionei a suspeita despertada pelo fato de que os objetos em questão possam ter permanecido de algum modo na moita onde foram encontrados. Parece quase impossível que essas evidências de culpa tenham sido acidentalmente deixadas no lugar de sua descoberta. Houve suficiente presença de espírito (ao que tudo indica) para a remoção do cadáver; e contudo uma evidência ainda mais explícita que o próprio corpo (cujas feições podiam vir a ser rapidamente obliteradas pela putrefação) é abandonada notadamente na cena da barbaridade — estou aludindo ao lenço com o nome da vítima. Se isso foi um acidente, não foi o acidente de uma gangue. Só podemos imaginá-lo como o acidente de um indivíduo. Vejamos. Um indivíduo cometeu o crime. Está sozinho com o fantasma da falecida. Apavorado com o corpo inerte diante de si. A fúria de suas paixões se esvaiu e há espaço de sobra em seu coração para o terror natural inspirado pelo ato. Nele nada existe dessa confiança que a presença de um grande número inevitavelmente inspira. Ele está sozinho com a morta. Está tomado por tremores e confusão. Contudo, há a necessidade de se livrar do corpo. Ele o carrega até o rio, mas deixa para trás as demais evidências de culpa; pois é difícil, quando não impossível, carregar tudo de uma só vez, e será fácil voltar ao que deixou. Mas em sua árdua jornada até a água, seus medos redobram dentro dele. Sons de atividade o cercam pelo trajeto. Uma dúzia de vezes escuta ou imagina escutar passos de algum observador. Até as próprias luzes da cidade aumentam sua confusão. Contudo, com o tempo, e fazendo longas e frequentes pausas de profunda agonia, ele chega à margem do rio, e livra-se do macabro fardo — talvez com o uso de um bote. Mas agora que tesouro haveria neste mundo — que ameaça de vingança poderia existir – capaz de incitar esse assassino solitário a refazer seus passos pela trilha laboriosa e arriscada até aquela moita com suas reminiscências de enregelar o sangue? Ele não volta, sejam quais forem as consequências. Não conseguiria voltar nem se quisesse. Seu único pensamento é a fuga imediata. Ele dá as costas para sempre ao apavorante bosque e corre da ira que está por vir.

"Mas, e com uma gangue? Seu número teria infundido confiança; se, de fato, a confiança está alguma vez ausente no peito desses rematados meliantes; e unicamente de rematados meliantes imagina-se que as gangues sejam constituídas. Seu número, repito, teria poupado a desorientação e o terror que, segundo imaginei, paralisariam o homem solitário. Supuséssemos um descuido em um, ou dois, ou três, esse descuido teria sido remediado por um quarto. Eles não teriam deixado nada atrás de si; pois seu número lhes teria permitido carregar tudo de uma vez. Não teria havido necessidade de regresso.

"Considere, agora, a circunstância de que, no exterior do vestido, como encontrado no cadáver, *'uma faixa, com cerca de trinta centímetros de largura, fora rasgada da barra inferior até a cintura, mas não arrancada. Estava enrolada três vezes em torno da cintura e presa por uma espécie de nó às costas'.* Isso foi feito com o óbvio propósito de constituir uma alça pela qual carregar o corpo. Mas que número de homens teria ideado recorrer a tal expediente? Para três ou quatro, os braços e pernas do cadáver teriam constituído não apenas ponto de preensão suficiente, mas o melhor ponto possível. O recurso cabe a um único indivíduo; e isso nos conduz ao fato de que, 'entre a moita e o rio, descobriu-se que as tábuas da cerca haviam sido derrubadas e o solo mostrava evidência de que algum pesado fardo fora arrastado'! Mas que homens, se em algum número, dariam o trabalho supérfluo de derrubar uma cerca com o propósito de arrastar por ela um corpo que poderiam ter erguido por cima da cerca num piscar de olhos? Que número de homens teria, desse modo, arrastado um cadáver e deixado evidentes vestígios de sua ação?

"E aqui devemos fazer referência a uma observação do *Le Commercial*; observação sobre a qual, em certa medida, já aventei um comentário. O jornal fala que *'um pedaço de uma das anáguas da infeliz garota com sessenta centímetros de comprimento e trinta de largura, foi arrancado e amarrado sob seu queixo e em torno da nuca, provavelmente para impedir que gritasse. Isso foi feito por sujeitos que não carregam lenços de bolso'*.

"Já tive oportunidade de sugerir anteriormente que um genuíno meliante nunca anda sem seu lenço de bolso. Mas não é para esse fato que particularmente advirto. Que não foi por falta de um lenço de bolso para o propósito imaginado pelo *Le Commercial* que essa bandagem foi empregada fica óbvio com o lenço de bolso encontrado na moita; e que o item não se destinava a *'impedir que gritasse'* transparece, também, em ter sido empregada a bandagem preferencialmente ao que com tão mais eficácia teria atendido a esse propósito. Mas o fraseado do depoimento refere-se à faixa em questão como tendo sido *'encontrada em torno do pescoço, enrolada de um modo frouxo, e presa com um nó cego'.* Tais palavras são bastante vagas, mas diferem substancialmente das que figuram no *Le Commercial*. Essa faixa de tecido tinha quarenta e cinco centímetros de largura e, logo, embora de musselina, teria funcionado como uma forte atadura quando dobrada ou torcida no sentido longitudinal. E desse modo, torcida, foi encontrada. Minha inferência é a seguinte. O assassino solitário, tendo carregado o cadáver por certa distância (seja desde a moita, seja de outro lugar) com auxílio da bandagem presa em alça no meio, percebeu que o peso, nesse modo de proceder, era grande demais para sua força. Ele resolveu arrastar o fardo — a evidência mostra que foi de fato arrastado. Com tal objetivo em mente, tornou-se necessário atar algo como uma corda a uma das extremidades. O melhor ponto para isso revelou ser o pescoço, onde a cabeça impediria o laço de escapar. E desse modo o assassino inquestionavelmente considerou a faixa em torno dos quadris. Dela poderia ter se servido, não fossem as voltas com que se enrolava em torno do corpo, a alça que a obstruía e a consideração de que não fora 'arrancada' acidentalmente da roupa. Era mais fácil rasgar uma nova tira da anágua. Ele assim o fez, prendendo-a firmemente no pescoço, e desse modo arrastou sua vítima até a margem do rio. Que essa 'bandagem', somente obtida a muito custo e com grande demora, e prestando-se apenas imperfeitamente a sua finalidade — que essa bandagem tenha ainda assim sido empregada demonstra que a necessidade de seu uso derivou de circunstâncias surgidas num momento em que o lenço de bolso não mais estava acessível — isto é, surgidas, como imaginamos, após afastar-se da moita (se de fato era a moita) e na estrada entre a moita e o rio.

"Mas, dirá você, o depoimento da Sra. Deluc aponta especialmente para a presença de uma gangue nas cercanias da moita, no instante ou perto da hora do crime. Isso eu admito. Duvido que não houvesse uma dúzia de gangues, tal como a descrita por Sra. Deluc, no local e nos arredores da Barreira Roule no instante ou perto de quando ocorreu essa tragédia. Mas a gangue que atraiu para si a referida animada versão, apesar do testemunho em certa medida tardio e deveras suspeito de Sra. Deluc, é a única gangue descrita por essa velha senhora honesta e escrupulosa como tendo comido seus bolos e tomado seu brande sem haver se dignado a lhe pagar o que deviam. *Et hinc illæ iræ? (E de onde essa ira?)*

"Mas qual é, de fato, o preciso depoimento de Sra. Deluc? *'Uma gangue de malfeitores chegou, comportaram-se ruidosamente, comeram e be-*

beram sem pagar, seguiram o caminho tomado pelo jovem e pela moça, voltaram à hospedaria ao entardecer e tornaram a cruzar o rio, aparentando grande pressa.'

"Ora, essa *'grande pressa'* possivelmente pareceu ainda maior aos olhos de Sra. Deluc, uma vez que ela se detém prolongada e lamentosamente em seus bolos e sua cerveja profanados — bolos e cerveja para os quais talvez ainda acalentasse uma débil esperança de compensação. Ora, de outro modo, uma vez que era o entardecer, por que frisar a questão da pressa? Não causa admiração, certamente, que mesmo uma gangue de meliantes deva estar com pressa de chegar em casa quando há um amplo rio a ser cruzado em pequenos botes, quando uma tempestade é iminente e quando a noite se aproxima.

"A noite ainda não havia chegado. Foi apenas ao entardecer que a pressa indecente desses 'malfeitores' constituiu ofensa aos sóbrios olhos de Sra. Deluc. Mas somos informados de que é nessa mesma tarde que Sra. Deluc, assim como seu filho mais velho, *'escutou gritos de mulher nos arredores da hospedaria'.* E com que palavras Sra. Deluc descreve o período da tarde em que esses gritos foram ouvidos? *'Foi pouco depois de escurecer',* diz. Mas 'pouco depois de escurecer' já é, pelo menos, escuro; e 'ao entardecer' certamente ainda há luz do dia. Desse modo, fica extremamente claro que a gangue deixou a Barrière du Roule antes dos gritos escutados (?) por Sra. Deluc. E embora nos inúmeros relatos dos testemunhos as relativas expressões em questão sejam distinta e invariavelmente empregadas exatamente do modo como eu as empreguei nessa nossa conversa, nenhuma observação, por menor que seja, da grosseira discrepância foi, ainda, apontada por qualquer um desses jornais ou por qualquer um dos agentes da polícia.

"Aos argumentos contra uma gangue não acrescentarei mais que apenas um único argumento, em meu próprio entendimento, pelo menos, tem um peso absolutamente irresistível. Sob as circunstâncias da grande recompensa oferecida, e do pleno perdão prometido a qualquer cúmplice, confesso que é difícil não imaginar, por um momento, que o membro de alguma gangue de desdenhosos vadios, ou de qualquer bando de homens, já não teria há muito traído seus comparsas. Qualquer membro de tais gangues estaria tão ávido por recompensa, ou ansioso por escapar, quanto receoso de traição. O sujeito se mostrará impaciente e apressado em trair, antes de ser ele próprio traído. Que o segredo ainda não tenha sido revelado é a melhor prova de que permanece, efetivamente, um segredo. Os horrores desse negro feito são conhecidos apenas por um, ou dois, seres humanos, e por Deus.

"Recapitulemos agora os escassos, porém seguros, frutos de nossa longa análise. Chegamos à ideia de que um acidente fatal sob o teto de Sra. Deluc, seja de um crime perpetrado, no bosque da Barrière du Roule, por um namorado, ou ao menos por um conhecido íntimo e secreto da falecida. Esse conhecido é de tez trigueira. Essa tez, a 'alça' feita com a bandagem e o 'nó de marinheiro' com que a fita do chapéu foi amarrada apontam para um homem do mar. Suas relações com a falecida, uma jovem alegre, embora não abjeta, sugere ser ele alguém acima da patente de marujo comum. Nisso as missivas bem escritas e insistentes dos jornais prestam-se devidamente à corroboração. A circunstância do primeiro sumiço, como mencionado pelo *Le Mercurie*, tende a combinar a ideia desse marinheiro com a do 'oficial de marinha' que, segundo se sabe, primeiro induziu a infeliz a cair em desgraça.

"E aqui, muito adequadamente, surge a consideração sobre a ausência persistente desse homem de tez escura. Permita-me fazer uma pausa para observar que a tez desse indivíduo é escura e trigueira; não era nenhum amorenado comum esse que constituiu o único detalhe a ser lembrado tanto por Valence como por Sra. Deluc. Mas por que se acha ausente esse homem? Foi ele assassinado pela gangue? Nesse caso, por que restaram indícios apenas da moça assassinada? A cena das duas barbaridades seria naturalmente de se supor a mesma. E onde está seu corpo? Os assassinos teriam muito provavelmente se livrado de ambos do mesmo modo. Mas pode-se dizer talvez que esse homem ainda vive e se furta a vir a público pelo receio de ser acusado do crime. Podemos supor que tal consideração ocupe agora seus pensamentos — nesse momento posterior — uma vez tendo sido afirmado nos testemunhos que foi visto em companhia de Marie — mas tal argumento não teria força alguma no instante do ato. O primeiro impulso de um homem inocente teria sido denunciar a barbaridade e ajudar na identificação dos rufiões. Tal seria o curso de ação aconselhável. Ele fora visto com a moça. Havia atravessado o rio com ela em um barco aberto. A denúncia dos assassinos teria parecido, mesmo para um parvo, o modo mais seguro e o único de afastar de si qualquer suspeita. Não podemos supô-lo, na noite do fatídico domingo, ao mesmo tempo inocente e ignorante da barbaridade cometida. E, contudo, apenas sob tais circunstâncias é possível imaginar que ele teria deixado, se vivo, de denunciar os assassinos.

"E que meios possuímos nós de alcançar a verdade? Veremos esses meios se multiplicarem e ganharem nitidez à medida que prosseguirmos. Analisemos até o fundo esse episódio da primeira fuga. Informemo-nos sobre a história completa desse 'oficial', com suas presentes circunstâncias, e seu paradeiro no preciso momento do crime. Comparemos cuidadosamente entre si as várias missivas enviadas ao periódico vespertino cujo objetivo era inculpar uma gangue. Isso feito, comparemos essas missivas, tanto em respeito ao estilo como à caligrafia, com as que foram enviadas ao periódico matutino, em um período precedente, e que insistiam com tal veemência na culpa de Mennais. E, feito tudo isso, comparemos mais uma vez essas várias missivas com a conhecida caligrafia do oficial. Empenhemo-nos em determinar, por intermédio dos repetidos inquéritos de Sra. Deluc e seus meninos, bem como do cocheiro de ônibus, Valence, algo mais sobre a aparência pessoal e a conduta do 'homem de tez escura'. Perguntas, se habilmente direcionadas, não deixarão de extrair, de uma dessas partes, informação acerca desse ponto particular (ou outros) — informação de cuja posse talvez nem mesmo as próprias partes envolvidas tenham consciência de estar. E rastreemos agora o barco recolhido pelo balseiro na manhã de segunda-feira, dia 23 de junho, e que foi retirado da administração das barcaças sem conhecimento do funcionário de plantão e sem o leme, em algum momento anterior à descoberta do cadáver. Com precaução e perseverança apropriadas rastrearemos infalivelmente esse barco; pois não só o balseiro que o apanhou pode identificá-lo como também o leme está à mão. O leme de um barco à vela não teria sido abandonado, sem investigação, por uma alma inteiramente despreocupada. E, aqui, deixe-me fazer uma pausa para insinuar uma questão. Não se anunciou de modo algum o barco recolhido. Ele foi silenciosamente rebocado para a administração das barcaças, e tão silenciosamente quanto removido. Mas seu proprietário ou usuário — como pode ter acontecido de ele, tão cedo na terça de manhã, ter sido informado, sem o auxílio de um anúncio, do paradeiro do barco levado na segunda, a menos que imaginemos alguma ligação sua com a marinha — alguma relação pessoal permanente implicando o conhecimento de seus mínimos assuntos — de suas corriqueiras notícias locais?

"Ao falar do assassino solitário arrastando seu fardo para a margem, já sugeri a probabilidade de haver ele se servido de um barco. Agora, cabe a nós compreendermos que Marie Rogêt foi de fato atirada de um barco. Esse naturalmente terá sido o caso. O corpo não poderia ter sido confiado às águas rasas da beira do rio. As peculiares marcas nas costas e nos ombros da vítima dão indício do esqueleto no fundo de um barco. Que o corpo tenha sido encontrado sem um peso também corrobora a ideia. Se lançado da margem, um peso teria sido lastreado. Só podemos explicar sua ausência supondo que o assassino negligenciou a precaução de providenciar algum antes de se afastar da terra. No ato de consignar o cadáver à água, deve inquestionavelmente ter notado seu descuido; mas então remédio algum haveria à mão. Qualquer risco teria sido preferível a voltar à malfadada margem. Tendo se livrado de seu macabro fardo, o assassino teria regressado apressadamente à cidade. Ali, em algum cais obscuro, teria saltado em terra firme. Mas e o barco — será que o teria amarrado? Sua pressa seria grande demais para se ocupar de tal coisa, como prender o barco. Além disso, amarrando-o ao cais, sua sensação teria sido de constituir uma evidência contra si mesmo. Seu pensamento natural terá sido arremessar de sua pessoa, tão longe quanto possível, tudo que guardasse relação com o crime. Ele não só fugiria do cais como também não teria permitido que o barco ali permanecesse. Seguramente o teria lançado à deriva. Sigamos imaginando. — Pela manhã, o canalha é tomado de inenarrável horror ao descobrir que o barco foi resgatado e acha-se recolhido em um local que ele tem o hábito diário de frequentar — em um local, talvez, que seus deveres obrigam-no a frequentar. Na noite seguinte, sem ousar perguntar pelo leme, ele o tira de lá. Mas onde está agora esse barco sem leme? Que seja um de nossos primeiros objetivos descobrir. A um primeiro vislumbre que obtivermos disso, o início de nosso êxito começará a se insinuar. Esse barco vai nos guiar, com uma rapidez que surpreenderá até mesmo a nós próprios, àquele que o empregou na meia-noite do fatídico domingo. Corroboração após corroboração surgirá, e o assassino será rastreado."

Compreenderão que falo de simples coincidências e de nada mais. O que já disse a esse respeito deve bastar. Não há no meu coração qualquer espécie de fé no sobrenatural. Que a Natureza e Deus são dois, nenhum homem no seu perfeito juízo negará. Que o último, tendo criado a primeira, possa, à Sua vontade, governá-la ou modificá-la, é igualmente incontestável. Digo: à Sua vontade, pois é uma questão de vontade, e não de poder, como supuseram absurdos lógicos. Não é que a Divindade não possa modificar as Suas leis, mas não A insultemos imaginando uma necessidade possível de modificação. Essas leis foram feitas, desde a origem, para abarcar todas as contingências que possam estar escondidas no futuro. Porque para Deus tudo é presente.

Ressalto que falo dessas coisas simplesmente como de coincidências. Algumas palavras mais. Encontrarão na minha narrativa com que estabelecer um paralelo entre a sorte da infortunada Mary Cecilia Rogers, pelo menos na medida em que a sua sorte é conhecida, e a de uma tal Marie Rogêt, até uma dada época da sua história... paralelo de que a minuciosa e surpreendente exatidão é feita para embaraçar a razão. Sim, tudo isso saltará aos olhos. Mas que não se suponha por um só instante que, prosseguindo a triste história de Marie a partir do ponto em questão e seguindo até o desfecho de todo o mistério que a envolvia, eu tenha tido o desígnio secreto de sugerir uma extensão do paralelo ou sequer insinuar que as medidas tomadas em Paris para descobrir o assassino de uma caixeira ou que medidas baseadas num método de raciocínio análogo produziriam um resultado análogo. Em relação à última parte da suposição, deve considerar-se que a menor variação nos elementos dos dois problemas poderia engendrar os mais graves erros de cálculo, fazendo divergir as duas correntes de acontecimentos, aproximadamente da mesma maneira que, em aritmética, um erro, que por si só parece irrisório, pode produzir mais tarde, pela força acumulativa da multiplicação, um resultado assustadoramente distante da verdade. Não devemos esquecer, sobre a primeira parte, que esse mesmo cálculo das probabilidades, que já invoquei, proíbe toda e qualquer ideia de extensão do paralelo... proíbe-a com um rigor tanto mais imperioso quanto esse paralelo já foi mais extenso e mais exato. Eis uma afirmação anormal que, embora pareça saída do domínio do pensamento geral (o pensamento estranho às matemáticas), só foi até agora bem compreendida pelos matemáticos.

Nada, por exemplo, é mais difícil do que convencer o leitor não especialista de que, se um jogador de dados conseguiu tirar os dois seis duas vezes seguidas, o fato é uma razão suficiente para apostar forte em como à terceira vez não sairão os dois seis. Uma opinião desse gênero é geralmente rejeitada pela inteligência. Não se compreende de que modo possam as duas jogadas já feitas, e já completamente perdidas no passado, influenciar uma jogada que ainda só existe no futuro. A probabilidade de tirar os dois seis parece igual à que havia em qualquer outro momento do jogo — isto é: exclusivamente submetida à influência das variadíssimas incógnitas do rolar de um par de dados. E é uma reflexão que parece tão evidente que todo e qualquer esforço para contradizê-la é na maioria das vezes acolhido com um sorriso trocista, ou por uma condescendência atenciosa. O erro em questão, grande erro, cheio por vezes de consequências, não pode ser criticado dentro dos limites que aqui me são impostos, e para os filósofos não tem necessidade de sê-lo. Basta dizer que faz parte de uma série infinita de enganos em que a razão tropeça no seu caminho, devido à infeliz propensão para procurar a verdade nos detalhes.